稲の旅と祭り

―シチと種子取

大城公男著

榕樹書林

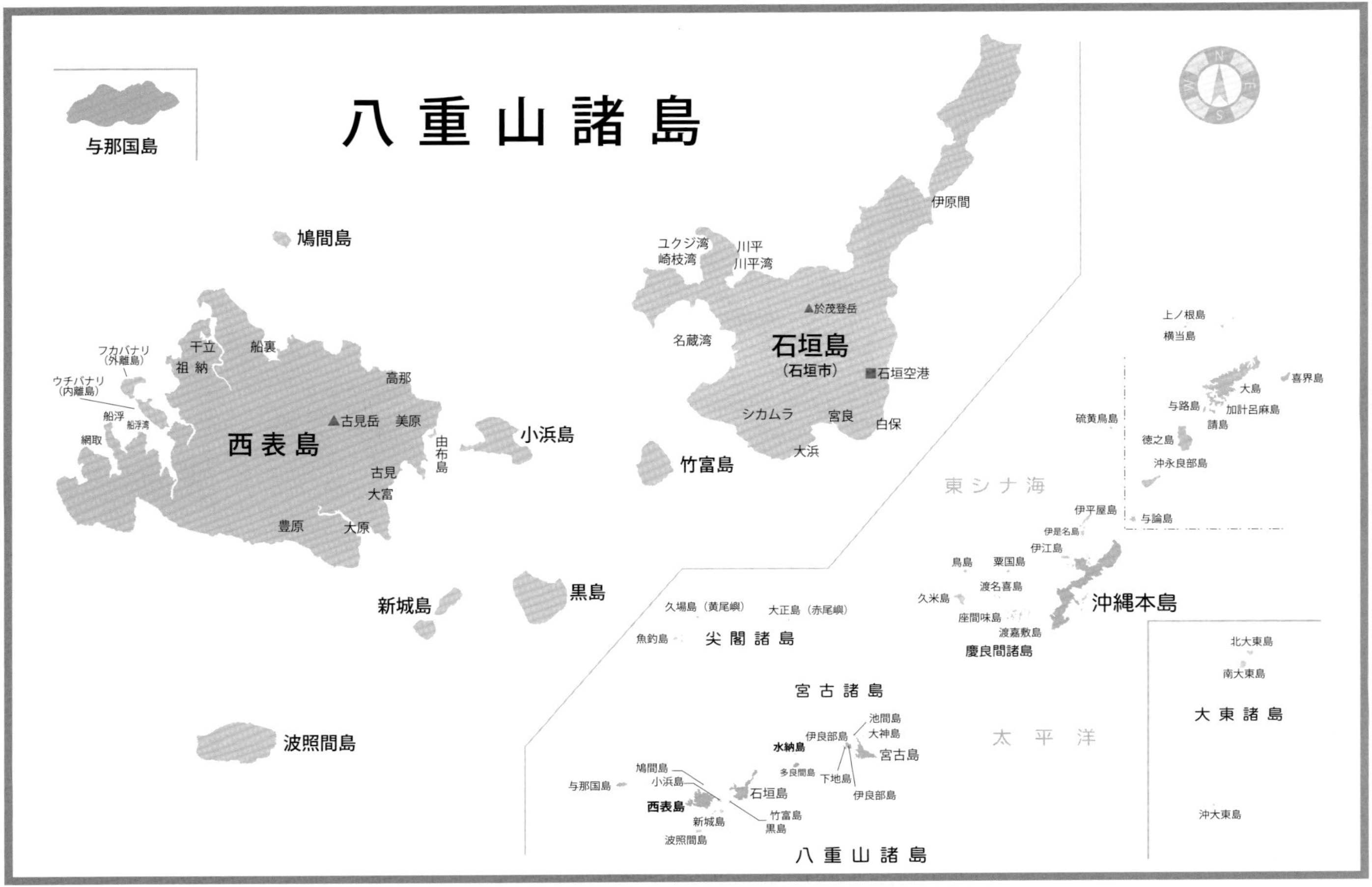
八重山諸島
与那国島
鳩間島
西表島
干立
祖納
船浦
高那
▲古見岳
美原
由布島
古見
大富
豊原
大原
フカバナリ（外離島）
ウチバナリ（内離島）
船浮
船浮湾
網取
小浜島
新城島
黒島
波照間島
竹富島
石垣島
（石垣市）
▲於茂登岳
■石垣空港
伊原間
ユクジ湾
崎枝湾
川平
川平湾
名蔵湾
シカムラ
宮良
白保
大浜
東シナ海
太平洋
尖閣諸島
久場島（黄尾嶼）
大正島（赤尾嶼）
魚釣島
宮古諸島
池間島
大神島
伊良部島
宮古島
水納島
多良間島
下地島
八重山諸島
沖縄本島
慶良間諸島
伊平屋島
伊是名島
伊江島
鳥島
粟国島
渡名喜島
久米島
座間味島
渡嘉敷島
硫黄鳥島
上ノ根島
横当島
喜界島
大島
与路島
加計呂麻島
請島
徳之島
沖永良部島
与論島
大東諸島
北大東島
南大東島
沖大東島

稲の旅と祭り——シチと種子取——／目　次

はじめに

先に私は、八重山地方の祭りを調査し、『八重山・祭りの源流―シチとプール・キツガン』としてまとめた（二〇一八　榕樹書林）。八重山地方では、ほとんどの村で最も大きな年中行事としてプール（豊年祭）、すべての村ではないが、これも大きな行事としてキツガン（結願祭）が行われている。

しかしこの二つの祭りは、先行する一つの祭りが存在しなければ成立しない祭りであった。拙著はそのことに着目して二つの祭りの成立過程と実際をまとめ、祭りの性格と意義について見解を述べた。先行する祭りとは、『琉球国由来記』（一七一三　以下『由来記』）に載る「節」なる祭りである。

『由来記』は、「七・八月中に己亥の日　節の事」を見出しにして、「由来　年帰しとて家中掃除、家・蔵・辻迄改め、諸道具至迄洗拵、皆々年縄を引き、三日遊び申也」と述べる。ここでいう「節の事」の節が、八重山地方ではシチと呼ばれる。そして、祭りについて述べているのは、続く一文だけである。

そのシチが、仏教の伝来でずらして行われるようになり、質的に大きく変化した。先に挙げた二つの祭りは、シチの変化の過程で出現した祭りである。拙著は、「祭りの源流」としてそのシチを上げ、その関係をまとめている。しかし、今思えば、仏教伝来後の祭りの実際に重点を置き、源流であったシチについては軽く通した感がある。以来『由来記』のあの一文が時折私を刺激し、脳裏を離れることがなかった。

シチは、稲の伝来と切り離せない関係で設定された。稲は伝播以来、品種や栽培の方法などが改善、改良されて、最終的には冬作型といわれる農法に落ち着いた。冬に種を播き、夏に収穫する農法で、「十月播種・六月収穫」と図式化されている。

これは必然的な配置で、シチは稲作との呼応でその位置になったのであって、他の時期では成り立たないのである。そのことを前提として考えると、『由来記』のシチを述べた一文には驚くほど多くの情報と、先祖たちの知恵が納められていることが分かる。シチは、歴史的に見ても最も形の整った、整合性のある祭りであった。シチは文化である。

『由来記』に述べられているシチは、見出しと本文三部の儀礼による構成となっている。本稿においては、それぞれの持つ意義や意図を、今回は納得できるまで考察してみた。そして、それらがどのように響き合って、一つの祭りを構築しているかを考えて見た。

本稿においてはもう一つ、稲の祭りとして「種子取《たにどぅる》」を取り上げている。この祭りは、先に示した「六月収穫・十月播種」の中の「十月播種」に対応する。その図式にシチと種子取を入れ、感覚的に理解しやすいように書き替えると「六月収穫・シチ・種子取」となる。この図式は、八重山諸島における稲作のサイクルを示すだけでなく、暦をも表していた。

種子取は実質的なイネ作りの始めで、最も気を遣った、細心の作業が求められる。その時の種子取がその後のイネの成長、収穫に影響を与えるといわれるほどである。それに併せるかのように厳かな祭儀があり、儀礼歌がある。「稲が種アヨー」は、イネ作り過程の折々を詠みこんだ叙事詩風の古謡であるが、先祖たちの感性と表現力の豊かさに感動を覚える。

八重山諸島が「先島」と呼ばれた時代から脱し、沖縄本島やヤマトとの交流が蜜になっていくまでは、文化は南から黒潮に乗って届いた、いわば「産地直送」の文化であった。その中に、もちろん稲作も含まれる。シチはその流れと切り離せない文化であった。そのように考え、前段に「南からの文化」として述べることにした。映画撮影の手法で言えば、遠景（先史時代）に焦点を合わせ、次第にカメラを引きながら（クローズアップ）して、主題（稲作と祭り）に至るという構図である。

第一部　黒潮の民と稲作

一　父祖たちの冒険

地図を広げて見ていると、自然に島々の山や川そして海、人々のなりわい、歌舞音楽、祭りの光景が目に浮かんでくる。いったいいつ頃、この地に人々が住みつき、その人々はどこから、そしてどのような文化を身に付け携えてきたのだろうと思ってしまう。

次は沖縄の著名な考古学者、沖縄国際大学教授の高宮廣衛が作成した図である（高宮廣衛『先史古代の沖縄』一九九一　第一書房）。

よくできた図だと感心する。だが蛇足を承知の上で、歴史的にこの図はいつ頃のことを語っているのか、少し補足したいと思う。この図では南西諸島のうち、奄美大島から先島諸島までが一つの円（「グスク時代」の中でまとめられている。

グスクは石の野面積みで、グスク・スクとも呼ばれる。今では屋敷の塀はコンクリートブロックになってきているが、地方や離島に行くとまだグスクの塀を見ることができる。それの大がかりな構築物と想像してみるとよい。

一二世紀前後、沖縄本島では歴史が大きく動き始めていた。各地で按司《あじ》と呼ばれる在地の首長が台頭し、激しく抗争を繰り返していくようになった。この激動の兆しのなかで、屋敷や村を石垣で防御していくようになった。グスクの出現である。

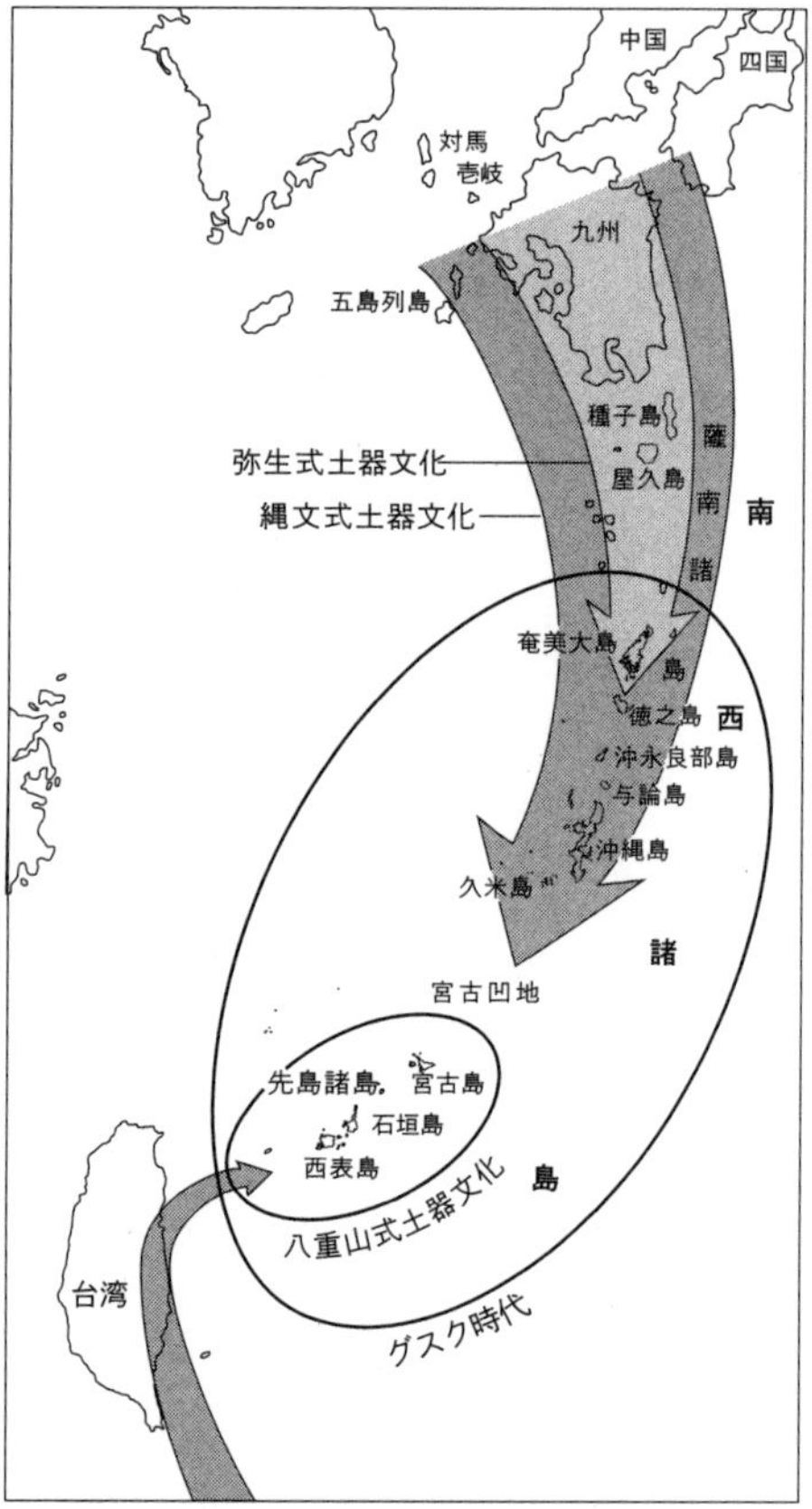

図１　南島文化の南西諸島への伝播
（原図 高宮廣衛氏 作成）

按司たちの抗争はさらに激しくなり、一四世紀に入ると沖縄本島には強力な按司たちによって、北部・中部・南部の三つの勢力圏が出現した。グスクは城塞（城）となり、北部に今帰仁《なきじん》グスク（北山）、中部に浦添グスク（中山）、南部に大里グスク（南山）が築かれた。その時代を、支配者に着目して三山時代と呼ぶ。

この図では、日本本土の文化、縄文時代文化は沖縄本島から周辺の島々あたり、弥生時代文化は奄美大島あたりまで届いているが、その先へは伝わっていない。沖縄本島と宮古島の間は直線距離にして約三百キロメートル、水深一千メートルの海が横たわっていた。そこは宮古凹地《おうち》と呼ばれ、人々はその海を渡って南下することはできなかった。

そのことは、八重山地方から見ても状況は同じで、人々はその海を越えて北上することはできなかった。そのことについて高宮は、「沖縄諸島の人々も、また宮古諸島の人々も千数百年前まで、南には宮古島があり、北には沖縄島があるということを知らなかったと思います。」と、述べている（高宮先述書）。

しかしその時代、先島地方にも人々が住みつき、独自の文化が形成されつつあった。先の図では「八重山式土器文化」として、その文化が南からもたらされたことが図示されている。那覇市在住の考古学者、金武正紀氏に教えを請うた。氏は沖縄各地の発掘調査に関わり、研究論文も多い。先島諸島の遺跡発掘調査も数多く、同地域の古代社会の姿や輪郭が明らかになってきている。「八重山の先史時代、そこに現れた古代人は南の島々から渡ってきた人々であった。この学説は、現在は定説となっている。」と、見解を伺った。

次頁の表は氏の考案による、八重山考古編年表である。理解しやすいように一部省略し、簡略にして作成してある。人類の文化史は、よく先史時代と歴史時代に分けて考察することがある。この表で見ると先史時代は「下田原期」と「無土器期」に分けられ、測定誤差値の範囲を省略して考えると、先史時代は今から四五〇〇年前後から一一〇〇年前後ということになる。

この図は一見して疑問の湧くところであるが（「無土器時代」）、本稿の意図からは離れていくので、深入りは避けることとする。ただし、作成者の詳しい解説があることを紹介しておく。

八重山地方には確認されている限りで、下田原期で一六か所、無土器期で五一か所、既に集落が出現していた。「未発見の空白期」（表）を含め、研究が進めばなお増えるであろう。とにかく、一二世紀の初め

	編年		土器	石斧・貝塚	主な遺跡	
先史時代	下田原期	（参考） 3970±95 〜 3850±65	下田原式土器	石斧	下田原 仲間第二 大田原 ピュネッタ	波照間 西表東部 石垣名蔵 石垣川平
	未発見空白期					
	無土器期	（参考） 1170±70 〜 12世紀前半	無し	石斧 貝斧	仲間第一 大泊 崎枝赤崎	石垣東部 波照間 石垣
歴（原）史時代	新里村期	12世紀 〜 13世紀	新里村式土器 ビロースク土器	石斧僅か	新里村東	竹富島
	中森期	13世紀末 〜 17世紀初	中森式土器	無し	鳩間中森 新里村西	鳩間島 竹富島
	パナリ期	17世紀 〜 19世紀	パナリ焼	無し		

表1　八重山考古編年表（金武『南島考古』第14号　1994より）

ごろには、ほとんどの島に人が住んでいた。

　地図を広げてみるとよくわかるように、南太平洋海域には多くの島々が散在している。八重山近くに引き寄せて考えると、ルソンの北から台湾近くの海域には驚くほど多くの島々が連なっている。そしてこの島々を包むかのように、南から北へ向かって海流、黒潮が流れている。

　彼らがそれぞれいずこの島を出発し、そしてどの島々に立ち寄り、どのルートを通って来たかはわからない。しかし、リアルに想像することはできる。彼らは間違いなくそこを通って来た。黒潮と連なる島々が、彼ら古代人をここ、八重山地方まで運んできたのである。

　だが、南から北上して来た八重山先史時代の人々がどのような舟で、どの港に着いたかについては不明である。しかし、彼らは、結果として成功した事例であろう。黒潮とて、常におだやかな

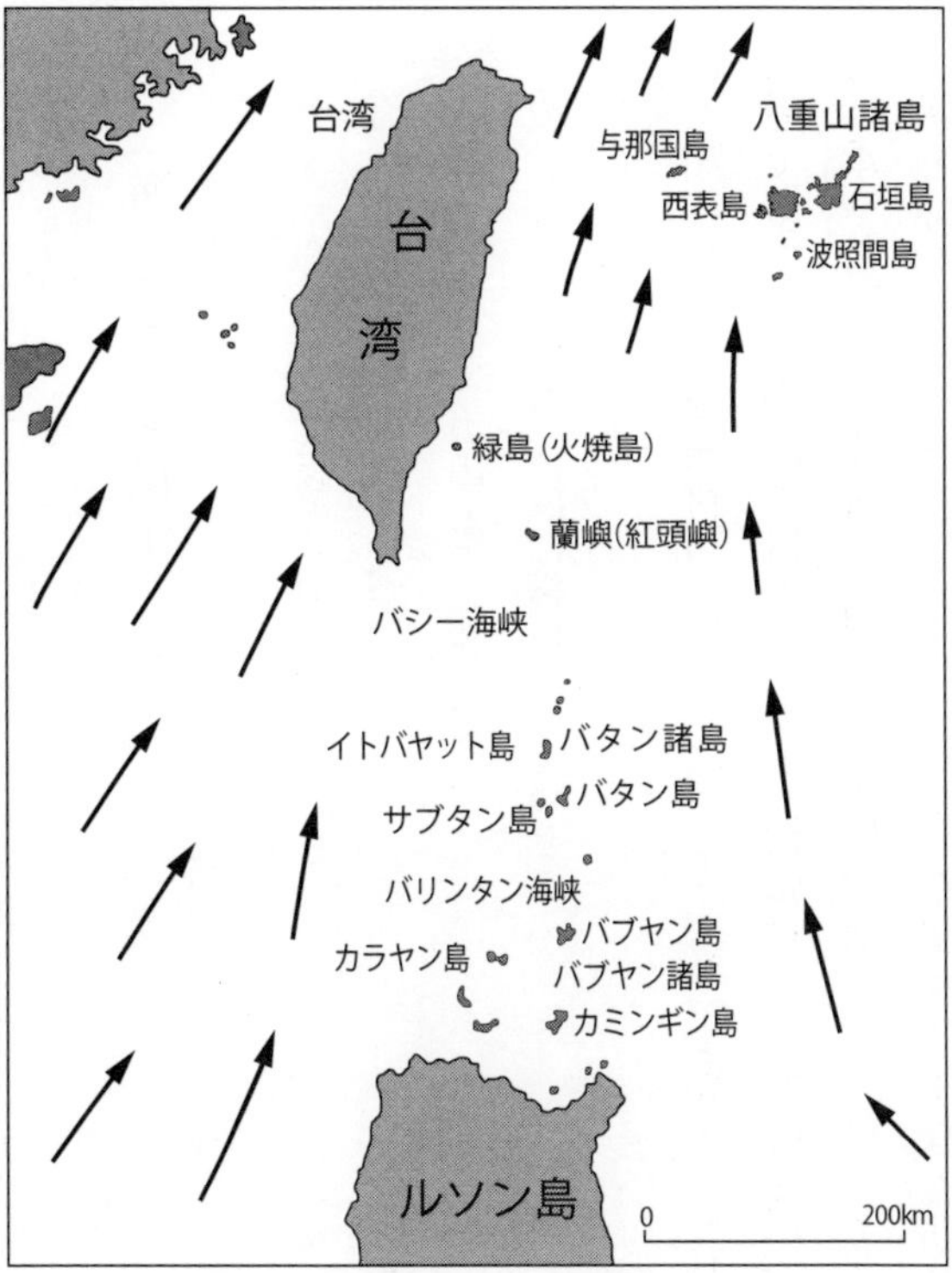

図２　南島の島々と黒潮の流れ

海とは限らない。荒波に呑み込まれた事例もかなり多かったに違いない。目標も、運よく漂着したところが八重山の地であったかも知れない。とにかく命がけの冒険で、海を渡って漂着した人々であった。

　それでは、彼らはどのような生活を送っていたのだろうか。これまでの研究によれば、バタン島やバブヤン諸島あたりから、焼畑農耕と漁労を生業とする人々が黒潮に乗って北上してきた。彼らが持ってきた焼畑農耕の作物はアワやイモ（サツマイモではない）であった。イモはヤムイモでウビと呼ばれた。そのウビが音韻変化でウモとなり、さらにウムとなって沖縄語に、またウンとなって八重山語になった。さらに変化して、日本語のイモになったという。後にサツマイモが主流となったが、それも含め、イモは一千年近く、人々の命を支えてきた。イモを祭る祭儀があり、イモを供物とする祭りがあるのも頷けるのである。

　アワやイモをもたらした人々は、海からの獲物を燻製にして保存する漁労の知識と技術も持ってきた。

獲物はトビウオとシーラであった。そこで思い出すことがある。八重山の大きな年中行事の祭儀では、クバン（クッパンとも）が重要な供物となる。燻製にした魚肉を二～三センチ角、一〇センチほどの長さに切りそろえ、五本・七本・九本を束にして供える。

これなどは、燻製の魚が遠い先祖たちの貴重な食料であったという意識が、聖なる供物、神饌として形を変えたと思われる。そしてクバン、クッパンも彼らが残した用語ではないだろうかと思うのである。つまり、古代先島の文化は、イモ・アワを基盤にしていたということができる。そして、イネが入ってきた。

二　「海上の道」と稲作

名も知らぬ　遠き島より
流れ寄る　椰子の実一つ
故郷（ふるさと）の岸を　離れて
汝（なれ）はそも　波に幾月（いくつき）

よく知られた島崎藤村の「椰子の実」の一番である。これもよく知られているエピソードで、出所は柳田国男であった。柳田は日本民俗学の創始者で、柳田の民俗学は、徹底して生きている庶民の口から語られる伝承や昔話、見聞きしたことを紡いで構築していく学問であった。それゆえ考古学が大嫌いで、思想の言葉を持たなかったとさえいわれる。全国をくまなく訪ねまわり、それを書き綴る。旺盛な文筆家で、生涯で三十数巻の著作を残す巨人であった。その全作品は全三六巻の全集（筑摩書房）として集大成されている。

その柳田が愛知県の渥美半島を訪ねた時、伊良湖岬の海岸で椰子の実が打ち上げられているのを見た。その時のことを次のように語っている。

（略）そこには風のやや強かった次の朝などに、椰子の実の流れ寄っていたのを、三度まで見たことがある。一度は割れて真白な果肉の露《あら》われ居るもの、他の二つは皮に包まれたものでどの辺の沖の小島から海に泛《うか》んだものかは今でも判らぬがともかくも遥かな波路《なみじ》を超えて、まだ新しい姿でこんな浜辺まで、渡って来たことが私には大きな驚きであった（「海上の道」）

東京に帰った柳田は、そのことを親友で同じ新体詩の仲間だった島崎藤村に話した。藤村は感動し、「その話、もらったよ」と言った。そして、詩を書いた。その詩に大中寅二が曲をつけ、こうして、今も変わらず日本人に愛される抒情歌が生まれた。一八九八年（明治三一）、柳田二四歳の時である。「今でも判らぬがともかくも遥かな波路《なみじ》を超えて」流れ着いた椰子の実を手に取り、「胸にあつれば」（「椰子の実」三番）、柳田の頭には、水平線の彼方に浮かぶ島々が、憧憬の念も加わって思い浮かんだに違いない。彼方には沖縄の島々があった。後に「海上の道」へと続く構想はここから始まった。

椰子の木は、もちろん日本本土には生育しない。浜辺に打ち上げられた椰子の実は、遠い遥か南の、名も知らない島を離れて流れ寄ったものである。詩人としての柳田は、幾月も波に揺られて漂う椰子の実が愛おしく、ある種の郷愁を覚えたに違いない。とともに、柳田の脳裏には波に揺られて流れ着く椰子の実と、南から北上してくる人たちの姿が重なって映った。

……現在の通説かと思われるのは、ちょうど縄文期と弥生式期の境目の頃に、この国へは籾種が入ってきて、それから今のように米作国に、追々と進展したということらしいが、それがまず自分には承服しがたい。……籾種ばかりを只ひょいと手渡しされたところで第一に食べてみることすらできない。……父祖伝来の経験が集積調和して、これを教訓の形をもって引き継がれなかったら、この作物の次々の改良はさておき、外部の色々の障碍にすらも、対抗することができなかったろう。すなわち最初から、少なくともある程度の技術とともに、……自ら種実を携えて、渡ってきたのが日本人であったと、考えずにはおられぬ理由である。

民俗学を創始した柳田は、日本の文化は稲作文化以外の何ものでもないと、信仰とも思われるほどの信念を生涯貫き通した（学者であったといわれる）。柳田は、イネの栽培技術と稲種を携えて、南から北上してくる人たちを想定し、彼らが日本人の父祖、先祖たちであったと考えた。

それでは、稲の知識と栽培技術を持ったその人たちはどこからきたか。それについて柳田は、宝貝を求めて、大陸から海洋に進出した人たちと考えた。宝貝は光沢のあるその美しさから珍重され、古代中国では貨幣として使われていた。経済に関する漢字では「財・貨・買・貯」など、「貝」が構成要素として含まれている。

宝貝は暖かい海に生息する。それをたやすく獲れるのは浅い岩礁で、日本で適していた地域は先島（宮古・八重山）であった。その人たちは、やがて定住地を求めるようになる。それには、稲の栽培ができる条件が備わっていなければならない。こうして先島地方に漂着した人々は、そこを起点として、稲作に適した土地を求めて北上していった。これが柳田の描いた、日本人のルーツであった。

しかしこの論文は、好意的に受け入れられなかった。柳田の誤解や齟齬があるとして、むしろ批判が多かった。佐々木高明は、「この学説は理論構成においても、実証的裏付においても、必ずしも十分なものではなかった。というより、それは柳田がもつすぐれた詩人的直感と信仰にも似た信念によって支えられた学説であり、読むものに強く訴えるのは、この点であったということができる。」、と述べている（『南からの日本文化』上　二〇〇三　日本放送協会）。また、「それは詩であり文学であって、彼にとっての一つの神話でさえある」と見る評もある（中村哲　『新版柳田国男の思想』　一九七四　法政大学出版会）。

論文「海上の道」は、外に「海神宮考」・「みろくの船」など数編を含め、一九六一年（昭和三六年）、筑摩書房から『海上の道』の表題で出版された。「海上の道」は、その巻頭を飾る論文である。柳田は『海上の道』出版の翌年、世を去った。

柳田は、日本の稲作は先島の島々を経て北上した、と八重山を起点としたルートを想定した。雄大で、ロマンあふれる仮説であったが、考古学的には稲作文化が南から北へ、海路で伝わっていった痕跡は認められないとして、柳田の学説は受け入れられなかった。しかし現在は、稲作の起源をやはり大陸に求め、南朝鮮を経由して日本に入ってきたとする学説が有力である。

イネは北の寒冷地には育たない。石田英一郎は、「弥生式文化が直接どこからはいってきたのか考えるとき、南鮮の稲作農耕地帯が西日本と一連の文化圏をなしてつらなっていたことを前提とせざるをえません。」として、次のように述べる。

稲作農耕はどこから南朝鮮へはいったのかという問題になると、私の考えは柳田先生の考え方に非常に近くなってまいります。それを考えるとき、いちばん大きな問題になるのはやはり江南の地域です。私は稲作農耕の南朝鮮への渡来経路として、揚子江の河口地域から東シナ海を通り、山東半島を多少かすめて南朝鮮へはいったと考えています。これは多くの学者の考えているところで、これまでもいろいろ根拠が挙げられています。（『日本文化論』一九六九　筑摩書房）

柳田にしても石田にしても、主題は日本の稲作はどこから来たかであった。柳田は、大陸から稲作の知識と技術を生業とした人たちが宝貝を求めて先島地方に進出し、彼らが稲作に適した土地を求めて海上を北上したと考えた。

それに対し石田は、同じく大陸の稲作地帯の人々が海上を北上して朝鮮半島に進出し、そこを拠点として稲作を展開したと見る。そして日本の稲作は、南朝鮮から西日本に入ったと考えた。ルートは違ったが、大陸の稲作地帯を源とすること、海上を北上することから「私の考えは柳田先生の考え方に非常に近く」なる、となったのであろう。

三　「新・海上の道」と稲作

一九七六年、黒潮の流れの彼方に日本民族文化の一つをたどりうるか否かを検証課題として、「黒潮文化の会」が組織された。南西諸島・台湾・フィリピンなど、黒潮に沿岸を洗われる黒潮列島の人と文化に携わってきた研究者が参加し、学術委員会が組織された。自然人類学・文化（社会）人類学・民族学・言語学・考古学・古代航海学など、多岐にわたる専門分野の研究者たちが参加した。佐々木高明も、民族学者としてメンバーに加わった。

実証の目標は、古代の船を模した実験船を建造し、フィリピン北端から黒潮に乗ってバシイ海峡を横切り、台湾、南西諸島を経て九州までの航海を試みることであった。柳田国男は海岸に流れ着いた椰子の実を見て、黒潮に乗って北上してくる古代人と文化を想像したが、現代人が古代人になって実証しようとしたのである。

実験船シングル・アウトリガー・カヌー（船体の外側に一本の大きなフロートを腕木で固定したカヌー）はルソン島の北端を出航し、バブヤン島沖を経てバタン島着、そこからバシー海峡を乗り切り、さらに台湾の東沖を通過して与那国島着、同島を出航して石垣島着、石垣島から宮古島の西北を通って那覇港に着いた。那覇港からは連なる島々の沖を通ったり、寄港したりして北上し、無事鹿児島港に着いた。

ルソン島を出航して四十四日間、二五〇〇キロメートルの航海で無事目標地に着いた。近代装備をいっさい持たない船が、風と黒潮だけに頼って黒潮列島の島々を伝い、南から北へ航海し、日本全土にまで到達することを立証した。この航海記録と専門家による各地の現地調査は、後に『新・海上の道―黒潮の古代史探訪』（一九七九　角川書店）としてまとめられた。

柳田の「海上の道」を「理論構成においても、実証的裏付においても、必ずしも十分なものではなかった」と評した佐々木は、この学術委員会のメンバーで、南西諸島の農耕について長年にわたり研究してきた学者である。佐々木は、南方の農耕文化が八重山地方を経由して南西諸島を北上し、本土に達したと強く主張してきた。そして稲作も、中国大陸南部あるいは東南アジアの一部から台湾を経由して八重山諸島に伝わり、そこから南西諸島を北上したと考え、次のように述べる。

> いままでに述べてきた諸事実を総合すると、南西諸島を経由してオーストロネシア型の稲作が北上し、それに伴いあるいはそれに先行して熱帯系のイモとア

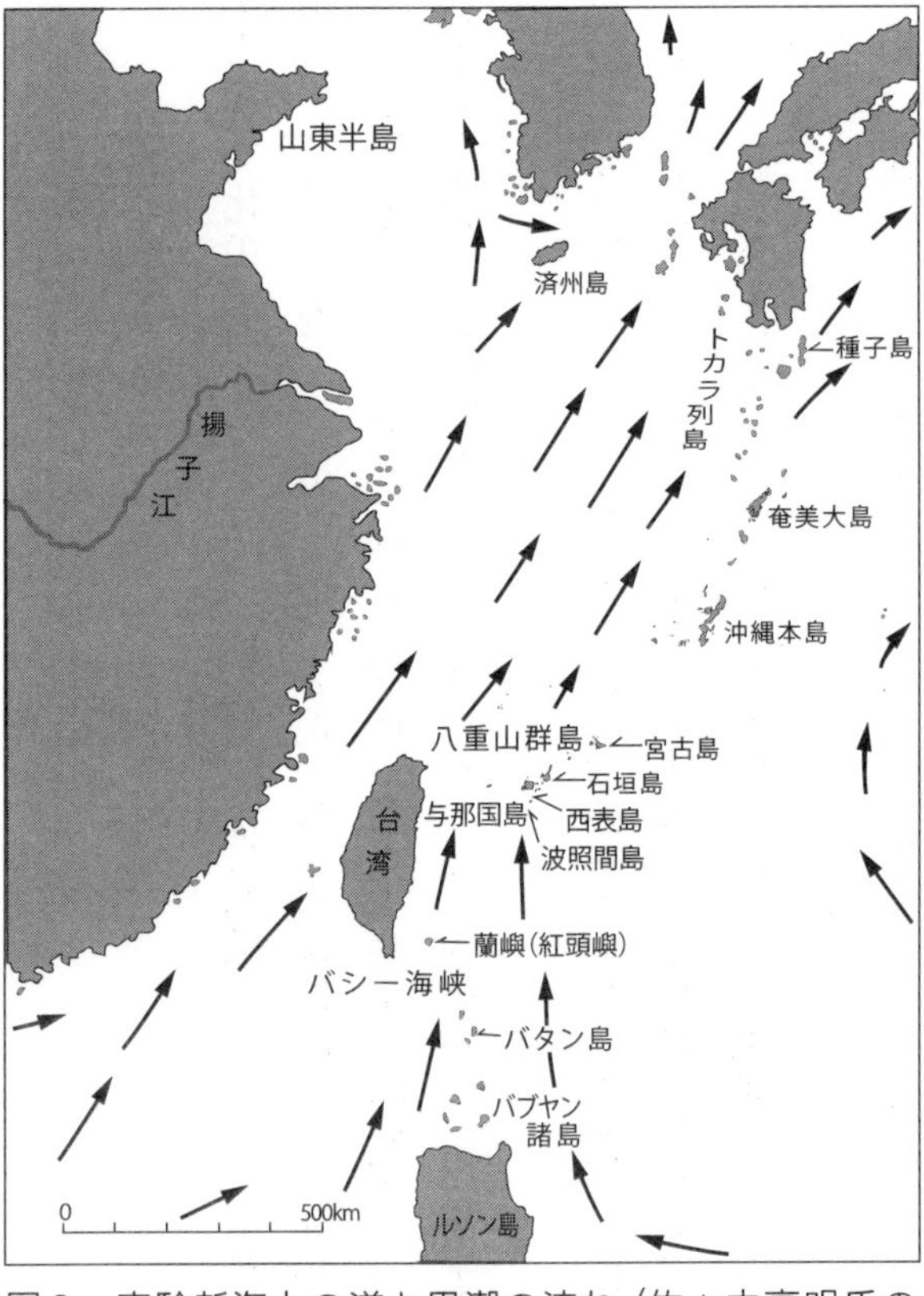

図３　実験新海上の道と黒潮の流れ（佐々木高明氏の原図を基に作成）

ワなどを主作物が、同じ道を北上したという仮説は動かし難いものと考えられる。この仮設は、柳田国男の「海上の道」とは別の視点と資料によって組み上げられてきたものである。それ故に「新・海上の道」の仮説と呼ぶことができると私は考えている（佐々木『南からの日本文化―新・海上の道』上　二〇〇三　日本放送出版協会）。

一四七七年頃、朝鮮済州島の漁民が嵐にあって遭難し、三人が流れ流れて与那国島の漁師に救助された。三人は与那国島で半年ほど手厚く保護され、それから西表祖納・波照間・上地・黒島・多良間・那覇へと送られた。那覇からは、たまたま停泊していた博多の商船に託され、博多から朝鮮へ送られた。その間、彼らの見聞きした漂流記が残されている。

『朝鮮王朝実録』の中に収められているその漂流記は、八重山の歴史だけでなく琉球史においても、文字で記された第一級の史料である。彼らの漂流記から、一五世紀当時の八重山の人々の生活や風俗を知ることができる。当時の八重山地方はほとんどの島に人が住み、秩序ある安定した、かなり成熟した社会が出現していた。与那国島滞在記録の中に、稲作に関する部分がある。次は榕樹書林刊『朝鮮王朝実録琉球史料集成―訳注篇―』からの抄出である。原文は漢文で、その読み下し文であるが、私の方で、なおわかりやすいように用字用語・文体を一部改めてある。

鉄あり。而して鋤を造らず。小鍤（すき）を用いて田をほじくり、草をしりぞけて、もって粟を植う。水田なれば即ち十二月の間に、牛を用いて踏ませて種を播き、正月の間に移しうえる。草をとらず。

二月、稲まさに茂り、高さ一尺ばかりなり。四月には大いに熟し、早稲は四月に刈りおわり、晩稲は五月にまさに刈りおわる。刈りたる後は根をたてふたたび秀れ、その盛んなること初めにまさり、七八月に収穫す。

短い文ではあるが、この中からは、当時の稲作に関する多くの情報を得ることができる。要点を整理するとこうなる。イネとアワが輪作で行われていた。牛を田に入れ踏ませて水田を整える。一二月(旧暦)に播種して正月(一月)に植え、早稲は四月に、晩稲は五月に収穫する。さらに刈り株から芽を出させ、七、八月に再び収穫することができる。

この稲作の大きな特徴は、牛に田を踏ませる事と、ヒコバエ(刈り取った株から芽を出し、また実る)の育成である。さらに鋤が無く、農耕具としては小型の草取り機(小鍤)を使うとしていることである。かなり原始的な稲作技術が伝承されていた。この農法が、八重山地方では戦後も行われていた。牛・馬の繁盛願いや牛馬祭りも行われている。

写真1　牛や水牛に田を踏ませる(提供平井順光氏)

「マイヤフマシィダーヌマイ」（イネは牛馬に踏ませて植えた田に実る）という諺がある。ターフミ（田踏み）は訓練された牛または馬に、牛は角に馬は首に縄をかけ、他の牛や馬を括り付けて二、三頭、または四、五頭を追い回し田を踏ますと田の土はまたたくまにドロドロになり、代掻《しろかき》きをしたようになると同時に、田の底が牛馬の蹄で打ちかためられるので保水力が強まるし、稲の成長も良いので、やはり田は牛馬に踏ませた方がよいとされていた（石垣稔『八重山在来米栽培体験記』一九九二　八重山印刷）。

済州島漁民の見た与那国の稲作には、「稲魂信仰」とも思われる記述もある。先に抄出した文の後には、次の分が続く。

刈り取る前は、人は皆謹慎する。話すときも声をはりあげることをしない。口をすぼめて口笛を吹くようなこともしない。あるいは草葉を巻いてこれを吹く者があれば、鞭打ちの刑にするといってそれを禁ずる。収穫の後は小管を吹いても、その声ははなはだ微細である。

稲魂はイネの穀霊・精霊で、稲の成長とともに生まれ、イネが孕むとともに成長すると信じられていた。稲魂は非常に繊細な存在で移ろいやすく、収穫前に大きな物音や荒荒しいこと、不浄な人や物が触れると、イネから飛び去ってしまうという。稲魂がイネから離れてしまうと稲穂から実が落ちてしまうと考えられていた。それゆえ、イネが開花し、穂孕みの三月から四月の二か月間は厳しい物忌と禁忌が課せられる。

『慶来慶田城《けらいけだぐすく》由来記』は、初代用緒（一五世紀後半）から一〇代の後裔に至る年代記である。その中に、このような記述がある。女は月の障りがあり、三月一五日から稲刈り初めまでは海で水浴びや磯下りをしてはならない、男共も、四月一五日以後は磯下り・港あさりをしてはならないと、厳しく戒める。その外、その期間、山留め・海留め、笛・太鼓・三味線など鳴り物を慎むとしている。このことについては『由来記』にもかなりの記述があり、稲魂信仰は、一五世紀の八重山地方では広く普及していた習俗であったと見ることができる。

研究によれば、牛馬に田を踏ませる踏耕やヒコバエ、稲魂信仰は沖縄本島を越えてトカラ列島あたりまで普及しているが、それから先、つまり日本本土にはこのような稲作は痕跡がないという。逆にその反対をたどれば、東南アジアから南方の島々では広く行われている稲作農法であるという。ということは、先史時代の貝塚人やその後継者たちが、稲作の知識と技術、そして稲種を携えて北上してきた、つまり稲作も南から伝わったことを知るのである。

踏耕とヒコバエ育成を特徴とするイネの栽培は「オストロネシア型栽培法」といわれる。「オストロネシア」は言語学の用語で、インド洋から東はイースター島までの諸部族で話される言語の総称である。その言語を話す人々の営む農法ということになるが、ここでは台湾から東南アジア、南太平洋上の島々をまとめて「南島」と理解しておきたい。イネの特徴は草丈が高く、株分けが少ない。イネには、芒《のぎ》がある。

稲作は早稲や晩稲、ヒコバエ育成・二期作など、いろいろな品種や栽培法も現れたが、結局一年一作の栽培が主流となった。この転換について伊波普猷は、冬の湿潤期に苗を育てて植え、夏台風の襲来前に収穫するという農法に移行したとも、また、サツマイモの導入とその拡大によって人口支持力が大きく増大

写真２　南島のイネ（渡部忠世『稲の道』1977　日本放送出版協会）

し、稲の二期作に固執する必要もなくなったと指摘する。

一年一期作の稲作農法は、冬に苗をそだてて植え、夏台風の襲来前に収穫する農法で、「冬作農法」といわれる。一年二期作から一期作への転換について佐々木高明は、先行のアワが冬に種を播き夏に収穫する栽培法で、それを踏襲したという。伊波・佐々木両者のよって立つ根拠は違うが、イネの栽培方法に関する見解は同じである。

佐々木はヒコバエ育成型稲作を原始的な「中世的稲作」と呼び、一年一作の稲作を「近世的稲作」と呼ぶ。琉球史においては、一六〇九年の薩摩の琉球侵攻以降を近世と呼び、それ以前は「古琉球」（伊波普猷による）と時代区分される。佐々木のいう「中世」は、琉球史においては古琉球時代に当たる。

佐々木は、一年一期作への転換は沖縄本島中・南部が先行し、他の地域においては、なおヒコバエ育成型の稲作が行われていたと述べる。そして、近世的稲作が沖縄本島、特に南部を中心に移行していったのは一四世紀末ごろから一五世紀初頭ごろで、その要因としては中琉貿易が発達し、中国人集団の人口が飛躍的に増加したことを挙げる。その食料を補給するため、稲作の改良・発展が進んだと見るのである。そして、『由来記』編纂時（一八世紀初頭）では二期作型の稲作はほとんどなくなり、「十月播種・六月収穫」の稲作が普及し、定着していたと推測した。

ところで、稲作が一年一期作の形態に転換していったのは、沖縄本島にしても八重山諸島にしても、首里王府の権力の浸透によるという指摘がある。つまり、王府が貢租の増収を図る目的で次々と施策を推進していったからである。このことは祭りの形成や形態にも大きく関わっていた。

第二部　首里王府の八重山統治と稲作

一　群雄割拠とアカハチの乱

済州島の漁民が与那国島の漁民に救助された年（一四七七年）、沖縄本島においては尚真が即位した。尚真は一二歳で即位し、六一歳（一五二六年）で没するまで実に五〇年の長きにわたって君臨し、王国に盤石の基礎を築いた。

王国の基盤は強力な官僚組織と神女組織の確立にあった。この両者は、結局政治と宗教による統治ということを示している。強力な官僚組織によって中央―地方、上級―下級の明確なヒエラルキーが導入され、国王の意向に沿った行政が推し進められた。神女組織の仕組みも同様である。琉球では、女性は霊力が高いと考えられ、神々を祭るのはもっぱら女性であった（オナリ神信仰）。神女組織は男性の役人同様、この原理によって祭祀の世界をも掌握しようとしたのである。

各村々には年間を通じてさまざまな行事・祭祀があり、それらを執り行う神女は八重山ではツカサ（チィカサ・チカーとも）、本島や周辺諸島ではノロ（ヌルとも）と呼ばれた。これらの神女を地域として束ねる上位の神女（八重山では大阿母）を配置し、さらにその上には君々と呼ばれ、大阿母などの神女を指導するより上位の神女が置かれた。そして、最高位には王の娘か妹だけが任ずる特別の神女、聞得大君《きこえおおきみ》（「とよむせだかこ」—世に鳴り響く霊力高き女性の別称）の職がおかれた。

この王の施策によって八重山地方の歴史と社会は大きく変わっていく。一五世紀の後半、八重山は英雄時代とも群雄割拠の時代ともいわれる。石垣島北部の平久保《ひらくぼ》村には加那按司、北西部の川平《かびら》村には仲間満《みつ》慶山《けさん》、東部大浜村にはオヤケアカハチ・ホンガワラ、石垣村には長田大主《なーたふーじー》らが覇を競い合っていた。また、最西端の与那国島には女酋長サンアイ・イソバ、最南端波照間島には明宇底獅子嘉殿《めうすくししかとん》、そして西表島西部祖納《そない》村には慶来慶田城用緒《けらいけだぐしくようしょ》の強力な族長がいた。

均衡が崩れたのはアカハチの乱である。西暦一五〇〇年、大浜村のオヤケアカハチが首里王府に対して反乱を起こした。アカハチの乱の原因はまだよく分からない。八重山地方古来の信仰、イリキヤアマリの祭祀を首里王府が禁止したからとも（一四六八年）、再三督促しても貢納に応じなかったからともいわれる。王国の八重山支配は、まだ緩いものであった

乱の報を受けた国王は大軍を派遣して鎮圧した。銭原・大里ら九人を大将とし、三千余人の士卒が大小四六隻の戦船に乗り込み、那覇港を出航した。途中宮古島に立ち寄り、既に国王に朝貢していた仲宗根豊見親が先導して石垣島に向かった。圧倒的な王府軍の前にアカハチ軍は敗走し、アカハチは捕らえられて処刑された。

二　蔵元の開設

アカハチの乱平定後、首里王府は本格的な八重山統治に乗り出した。だが、最初から組織的な統治体制が整うはずはない。まずは頭《かしら》となる人物を任命し、再び反乱が起きないよう乱の収集を図ることとした。人民、特に村々の長たちに「世替わり」を強く印象づけることをねらったと思われる。

アカハチの乱平定後、最初に任命された忠導氏刈金豊見親（宮古島出身、一五〇〇年〜一五〇四年）を含め、四人の頭《かしら》職が任命されている。しかし『球陽』によれば、それとは別に、中央から満挽与人《まんひきゆんちゅ》と呼ぶ役人を派遣している。おそらく、にわかに任命した未熟の地方役人を監督し、指導する役目を持った人物であったであろう。

ところが、その人物がいつ頃、なんという名前で、何人派遣されたのか、八重山側の資料にも、王府側の資料にも残されていないという。後に西塘《にしとう》が竹富島に蔵元を開設するに際し、満挽与人の制度は廃止された。西塘の蔵元開設は一五二四年、最初の頭職任命（一五〇〇年）から二〇年余経過している。おそらく、数人の満挽与人が派遣されていたはずである。後の「在番」制度の先例ともいえるが、王府にとっては、それまで中央と太いパイプの人物や仕組みを持っていたわけではないので、安心できる人物を派遣せざるを得なかったのであろう。

一五二四年（尚真四十八年）、西塘は大首里大屋子《うふしゅりうふやく》（最高位頭職の役職名）としての職務の場、蔵元を開設した。以後諸島の酋長はことごとく竹富島に赴き、法令を聴いた。しかしほどなくして西塘は、竹富島は土地が狭く、不便として蔵元を石垣島に移した（一五四三年）。

蔵元の行政機構は次第に綿密に組織され、強固になっていった。島嶼の村々はいくつかの間切《まきり》でくられ、その一つ一つに頭《かしら》と呼ぶ責任者を配置し、村々には村役人を置いて収めさせた。本庁である蔵元には三〇〇人余の事務方役人が常時詰めていたという。

首脳部としての行政部局の下に、事務部局として七座、十三方があり、農耕に関しては次の三方があった。

杣山耕作惣取締方《そまやまこうさくそうとりしまりほう》　山林・原野・田畑係
大地方三間切農務方《おおちほうさんまぎりのうむほう》　石垣島の農業指導奨励係
離島三間切農務方《りとうさんまぎりのうむほう》　離島の農業指導奨励係

しかし、「農業指導奨励係」と聞こえはいいが、主たる任務は、いかにして「百姓」を管理して働かせ、貢租の増収を図るかにあった。各村では、村役人が村はずれで百姓を名簿に照らして点検し、手札を渡して畑に追いやった。時間に遅れてきた者には鞭打ちの刑が待っていた。日中も役人が見回り、働き方を管理した。そして、夕方になると手札を確認して帰したというほどの徹底ぶりであった。この所行が、後に村芝居として仕込まれ、時には無慈悲に、時には滑稽に演じられた。

一六〇九年（慶長九年）、薩摩が琉球に侵攻した。薩摩は侵攻の翌年から二か年にわたり、沖縄本島から宮古・八重山諸島の隅々まで検地を行った（慶長の検地）。その検地に基づいて、薩摩は琉球国王の知行高を決定し、「仕上世《しのぼせ》」と呼ばれる租税を毎年薩摩に支払うことを命じた。それだけではない。薩摩は琉球の対明（中国）貿易も抑え、その利益も吸い上げた。

首里王府は、行政機構はそのままで政治を進めようとしたため、とたんに財政が逼迫した。王府は財政の立て直しを迫られ、税収の向上を図るため次々と政策を打ち出した。八重山蔵元は王府の指示に従い、新村の建設・弱小村の統合・強制的な百姓寄せなどなど、今でも語り継がれる伝承や歌謡が各地に残されている。そして、実に明治三五年まで続く、あの悪名高い「人頭税」（一六三七年～一九〇二年）が施行された。

三　大阿母の設置

アカハチの乱平定後、王府軍の大きな課題は、あれだけの軍船と兵士が無事に帰還することができるかであった。折も折、アカハチと相対していた石垣島の長田大主《なーたふーじー》の姉、真乙姥《まいつば》が進み出て言った。昨夜永良《いら》比金《びんがね》の神の託宣を受けた、今数十余の船に乗れば早く那覇に至ると。王府軍の大将らは、「神託のお告げは深くは信じがたい。もし霊験があって兵船を守護し、一斉に国に到着するならば、必ず褒賞する。もしこの言葉に違い、船が前後して国に至るようなことがあれば、重罪は免れないぞ。」と言った。

それを聞き、「天候はさだめがたく、風波はまた測りがたい。」と言って真乙姥は、船団が出航するや美崎山（石垣市登野城村の海岸近くにある雑木林、後御嶽が建つ）に籠り、風雨・寒暑にひるまず絶食して、神の加護を一心に祈願した。そのご利益があってか、王府軍は全船無事に那覇に戻った。

あとに残された真乙姥は、すっかり憔悴して息絶え絶えのところを平得村の多田屋遠那理《ただやおなり》に発見され、救出された。次の年、真乙姥・遠那理は首里王府に呼ばれ、国王から褒賞を受けた。国王からは真乙姥に大阿母の神職を授けようとしたが、真乙姥はそれを辞退し、替わって遠那理に与えてくださるよう申し出た。その願いは聞き届けられ、遠那理には大阿母、真乙姥には永良比金の神職がさずけられた（一六七八年廃止）。

以上の経緯を『球陽』は、尚真王「二十四年、銭原、大将と為り、八重山の赤蜂を征伐す」、「始めて八重山に大阿母並びに永良比金を置く」として、ドキュメンタリー風に語る。蔵元の開設と大阿母の設置は首里王府末端の官僚組織と神女組織で、ここでも政治と宗教を一体として統治しようとしたのである。

大阿母は八重山ではホールザ、あるいはホーラザといわれるが、語源ははっきりしない。ホール（ホーラ）は「聖なる」の意、ザは「座」で、そこに座る者とする見解もある。尊崇の念を込めて、ホールザマイ（前）とも呼ばれる。世襲制で多田屋遠那理以来、平得村のその筋から選出されることになっている。

真乙姥・遠那理は国王に拝謁して感激し、今後は毎年上国してこの光栄に浴したい、昼間は頭上に、夜は真胸に合唱して国王の万歳と国家の安寧を祈ります、と歌（コイニヤ）をうたって気持ちを伝えた。しかし、実際には毎年とはならず、大阿母の上国は三年に一度となり、崇禎（中国年号一六二六年〜一六四三年）の中頃からは国王の即位や大慶賀のときに王府からの呼び出しにより、さらに雍正四年（一七二六年）からは、サバクリ（捌く人の意、間切の首里大屋子など）が名代となって呼ばれた。

大阿母は地方全域のツカサを指導、監督する神職で、国王の長寿・王国の安泰・貢納船の航海安全・島中の安寧などを、祭祀の面から支える任務が課されていた。そのいくつかを挙げてみる。

○　毎年の諸村八六か所の御嶽で祈願が行われ、凶作・不作の際には大阿母が一八か村のツカサを直接下知して祈願を執行した。

○　三月から六月の間、稲がまだ熟さないうちに、また上納船・大和の船がまだ航海中に、大風（台風）が来そうな時、大阿母は石垣・登野城の二か村の各家から女一人宛出させ、美崎・宮鳥・長崎の御嶽を共に廻って大風が来ないよう祈願した。また干ばつの折は、同じく同所を廻って雨乞いの祈願をした。

○その折、各村ではツカサは各家の女を従わせて祈願をし、その首尾を大阿母に報告するよう求めた。

○正月元日・一五日・冬至の時は蔵元へ参って火の神を拝み、国王の万歳(長寿)、役人衆の果報、島中村の作物の豊作を祈願した。

○各村でツカサが替わる時は、その筋の者から大阿母が選んで申しつけ、村々で行われる毎年の祭礼の首尾を報告させた。

これでおおよそ察せられるように、大阿母は各村々のツカサの上位に位置し、ツカサたちを指揮・監督、指導する役割を与えられていた。

しかし、大阿母等の上には「大阿母しられ」と呼ばれる三人の上位の神職があり、王国を三つに分けた地域(平等《ひら》とよばれた)を管轄した。八重山の大阿母は真和志平等《まわしひら》の「真壁《まかべ》大阿母しられ」(真壁殿内《どぅんち》に居住し、真和志・久米島・宮古・八重山など一六間切・島を統治)の監督を受けた。大阿母が首里に呼ばれるときは、「大阿母しられ」の取次で国王に拝謁を許されることもあったが、多くの場合は殿内で指導や指示を受けた。そして、帰任後は村々のツカサを呼び集めて伝えた。

だが伝えたのは、中央からの政治的な指示・命令だけではなかった。大阿母は那覇で見聞きした、中央の先進的な文化も身に付けて戻ってきた。八重山地方の祭祀や神歌にはよく似ているものが多く、ある意味で個性を無くしている。これらの祭祀や神歌が、各村で自動発生的に同じ形が生まれたとは考えられない。

村の祭祀や神歌の形を作るのはツカサであった。村々のツカサが寄り集まって、情報や意見交換、新しい知識や方式を学び学習する特定の場所があったはずである。その場所は、大阿母の本、ホールザ以外には考えられない。以下に述べる「シチ」や「種子取」・「アヨー」の形がほとんど似ているのは、大阿母の存在によると見ている。

第三部　稲作と祭り（一）

一　シチの成立

佐々木は、沖縄本島中・南部では、『由来記』編纂時（一七一三年）には一年一期の「十月播種・六月収穫」の稲作が普及し、定着していたと推測した。しかし、八重山地方では一六世紀の中ごろあたりまで、一年二作の中世的稲作が行われていた記録があるという。そして、八重山諸島においても首里王府の権力が及ぶことにより、次第に一年一期作の稲作への転換が進められた。その時期は一六世紀末か、一七世紀の比較的早い時期と見る。

『由来記』はその序に、王城で行われる諸公事や毎年行われる儀式（年中行事）の由来を考察するために編纂したと記す。その目的のため、首里王府は各蔵元《くらもと》（王府の出先機関、現在の支庁に当たる）に命を出し、村々の御嶽や祭儀を調査して報告するよう求めた。

八重山蔵元（現在の石垣市に置かれた）では一七〇一年から一七〇三年、蔵元の役人が与那国を除く村々を廻って調査した。八重山蔵元は調査をまとめて報告書を作り、一七〇五年首里王府に提出した（後「八重山島由来記」として知られる）。

『由来記』の巻二一は「八重山篇」で、八重山蔵元の報告書がほとんどそのまま取り入れられている。調査は一八世紀初頭（一七〇一年～一七〇三年）、したがって収められている事柄はすべて一七世紀以前のことである。

「年中祭事」の項には、「二月御タカベノ事」から「十二月サウリノ事　田植初メ　二日草木切ラズ申也」まで、一〇の祭事を挙げている。その中に、続けて「五月にシキョマ祭の事」、「七・八月中に己亥の日、節のこと」、「九・十月に種子取の事」の記述がある。

五月にシキョマ祭の事

由来。稲刈初めて、茹で米仕り、作物の初とて一人に五勺宛出合せ、嶽々幷根所根所へ祭り、祖父母・父母・伯叔父母・兄弟・姉妹、志次第送る也。

七、八月中に己亥日、節の事

由来。年帰しとて家中掃除、家・蔵・辻迄改め、諸道具至迄洗拵、皆々年縄を引き、三日遊び申也。

九・十月に種子取の事

由来。稲・粟種子を蒔初め、三日遊び申事

「五月にシキョマ祭」はイネの刈り始めの祭儀で、それから稲刈りが続き、六月に収穫を終える。「九・十月に種子取」の「種子取」はイネの播種を指す。この二つの祭儀は、佐々木のいう「十月播種・六月収穫」の稲作形態に対応し、一年一期の稲作が一七世紀以前、広く安定的に行われていたことを示している。

六月と十月の間にもう一つの祭儀、「七、八月中に己亥日、節の事」が入る。この中の「節」は、八重山諸島で「シチ」と呼ばれている祭りである。『由来記』の記述は、時間の経過で順序立ててある。それに合わせて書き換えると、「六月収穫・シチ・種子取」、とこのようになる。

この関係で見ると、シチという祭りが稲作と深く関わって設定されたこと、そしてその性格がよく分かる。六月、稲の収穫が済むと、収穫感謝祭が執り行われた。この祭儀は、一年の年中行事の中で最も厳かで、しめやかに行われた。ツカサたちは潔斎し、御嶽に籠って二日から三日、ところによっては四日から五日、一年の神の加護を感謝して夜通し祈願した。ユードゥーシ（夜通し）といわれた。

それから二〇日余り、人々は飲食・行為をつつしみ、物忌の生活を送った。しかし、いつまでも物忌を続けるわけにはいかない。ムヌスクリ（物作り、農作業）には適切な季節がある。人々は物忌を解き、次の年に向けて農作業を始めた。その間に、シチという祭りが設定されている。

稲作は、田打ちから始めてナース（苗代）を拵えると、イネ作りの本番、「種子取」を迎える。種子取はイネの種蒔きで、「十月播種」の「播種」である。具体的な作業に伴って厳かな祭儀が執り行われた。それから六月まで、気の抜けないイネの手入れ、管理が続く。

つまり、イネ作りの実質的な始まりが「種子取」で、実質的な終わりが六月の収穫感謝祭となる。仕事始めから収穫まで、ほとんど一年がかりである。期間を時間の連環として想定すると、初めと終わりがほとんどつながり、完全な輪となる。このように、時間のプロセスで見ると、シチが過去から未来へ続く掛橋の役目をしていることが分かる。ここに、シチという祭りの本質があった。

二　祭りの性格

1　「己亥の日」

『由来記』に載るシチは、見出しと本文わずか一行の記述である。そしてその一文は、「年帰し」、「皆々年縄ヲ引き」、「三日遊び申す也」の三部構成となっている。これらの要素から、シチがどのような性格で、祭りが実際どのように行われていたか、考えてみる。

七、八月中に己亥日、節の事
由来。年帰しとて家中掃除、家・蔵・辻迄改め、諸道具至迄洗拵、皆々年縄を引き、三日遊び申也

「節」は日常語として沖縄本島地方では「節日《しちび》」あるいはウイミ（折目）、八重山地方では「キジャリ」・「キザル」とよぶ。「年中行事のなかで、生産休養日の遊びをともなう収穫祭や予祝行事の日」（『沖縄大百科事典』沖縄タイムス社）のこと。『由来記』編纂時に王府内で訂正されたと思われるが、八重山地方ではそれがその

まま「シチ」と呼ばれるようになった。

シチは見出しに、「七、八月中に己亥日、節の事」とあるように、「己亥の日」にこだわって行われた。なぜ「己亥の日」に設定されたか。現在でもなお人生の節目、家や村の様々な行事は「日取り」をして行われる。ほとんど干支（十干十二支）の組みあわせを年・月・日に当てたものであるが、『由来記』でシチは、「七、八月中　己亥の日」に設定されていた。後に二、三か月あとにずらして行われるようになったが、現在まで続くシチは、やはり「十、十一月中　己亥の日」を選んで行われる。大方慣習となっているが、古の人々には必然的で、切実な認識があったものと思われる。

シチの日取りは「七、八月中」（『由来記』）と、ふた月にわたって幅がある。農作業の始めは「はい、今日から」と、日レベルで厳格に選択する必要はない。たいていの場合は自然の移り変わり、渡り鳥・草木の芽吹きや花・風向きなどの特徴的な現象を見て、経験的に始めていた。それでも適当な時期、頃合いというものはあって、何か月に亘っていつでも良いというわけにはいかない。それに対し、祭りは××月××日と日レベルの設定が求められる。

農作物の育成栽培に関わるとして「己亥の日」が選択された。「己亥の日」は六〇日ごとにめぐってくるが、年によって揺れが生じる。すべての農作物の収穫を終え、収穫感謝祭を済ませた後の農作業の始めとして許容される期間は七月から八月までである。シチは「年帰し」の性格も持ち、毎年安定した日取りとして設定されたのが「七、八月中　己亥の日」であった。

「己亥の日」の日取りは十干十二支、いわゆる通常干支《えと》と呼ばれる中国古来の思想に基づいている。この思想にはさらに、互いに相反する性質を持った二者の相互作用によって天地間の万物が作り出されるという考えが付いていた。それに従って言えば、己は土、亥は水を表わすと解される。この二つの組み合わせによって、たとえば、田園は水（亥）を吸い込んで湿った土（己）となり、イネを育てる、という具合である。

そして、植物の一生に例えると、亥は葉っぱや花が枯れ落ちて、種の内部に草木の生命やエネルギーがこもっている状態（亥に木を加えると核となる）、己は草木が十分に生い茂って整然としている状態を、それぞれ表すという。この両者、比較すると全く「相反する」光景である。しかし、私たちの脳裏には、この光景は連続して浮かぶ。一方を無くして他はあり得ない。亥を冬に例えると、己は春になる。

このように考えれば、「己亥の日」にこだわり、祭りを設定した理由がわかる。すべての作物（イネが主）を収穫し、収穫感謝祭を行った後、人々がひたすら物忌に服す状態は「亥」の持つ意味そのままである。また、忌明けで活力に満ちた人々が農作業に勤しみ、やがて豊かに実る状態を想定すると「己」の意味も納得できる。このようにして、「己亥の日」が一年の境目として正月に、行事として行われようになってシチになったと考えられる。

2 「年帰し、皆々年縄を引き」

『由来記』でこの語句は、「年帰シトテ家中掃除、家・蔵・ツジマデ改メ」の後に続く。

「年帰シ」は「正月が来た」で、その後に列挙する語は年末の大掃除、今日の慣習と変わらない。提示した語句の「皆々」は、「それぞれの家では」の意であろう。「年縄」については、いくつかの辞書が次のように説明している。

正月に用いる注連縄（しめなわ）、左綯（ない）で、長く門口・座敷なかに張りわたす　一文字が原形（『広辞苑』）

年の神を迎える家を年宿といい、年宿に張るシメ縄を年縄という。シメ縄は清浄な藁で、左よりにより、その端をそろえないのが古くからのならわしである（『民俗の事典』　岩崎美術社）

正月に家々に迎える神を歳神（トシガミ）といい、多くは家々に年棚・恵方棚などと呼ぶ棚をつくってまつる。……この棚を小松・注連縄・白紙などで飾り、神酒や鏡餅を備える（『民俗学事典』　東京堂出版）。

これらの説明から、正月・年神・注連縄（しめなわ）をキーワードとして取り出すことができる。正月に年縄を張りわたすのは、その内側を浄化、聖化し、年神を迎えるためである。古の私たちの先祖たちも、シチを正月として、やはり年神を迎えていたのである。それでは、年神はどんな性格の神であったか。

『徒然草』第一九段は、冒頭「折節の移り変わるこそ、ものごとにあはれなれ」を主題として提示し、以下、春・夏・秋・冬・元日のそれぞれの季節における人事・自然の美を摘出して述べる。元日を迎える前日、大晦日の夜の情景を述べた箇所に次の記述がある。

亡き人のくる夜とて魂祭るわざは、このごろ都にはなきを、東《あずま》のかたには、なほする事にてありしこそ、あはれなりしか

作者の吉田兼好（兼好法師）は名前についても、生涯（一二八三年～一三五二年）についても、研究者によって異論もあるようである。通説に従って述べると、「東のかた」は関東を指し、兼好は鎌倉や金沢（横浜在）あたりを旅したことがあった。「このごろ」はその時のことを指している。「わざ」も「事」も行事を指す。この文の要旨は、大晦日の夜の魂祭の行事は都（京都）では行われなくなっていたが、ここ関東あたりではまだ行われているのはじつに感慨深かった、ということになる。そして、都では確かに晦日の夜、魂祭が行われていたことをうかがわせる歌がある

亡き人の来る夜と聞けど君もなし
我が住む宿や魂無きの里（和泉式部『御拾遺集』巻第十）

魂祭る歳の終わりになりにけり
今日にやまたもあはむとすらむ（曽根好忠『詞花集』巻第四）
※　先祖の霊をまつる年の終わりになった。自分は生きながらえて、今年もまた大晦日の今日に廻り合うというのであろうか。

日本本土の魂祭は、「亡き人」・「魂」などから死者の霊を祭る行事であった。またその霊は正月に訪れるゆえ年神で、その正体は来方神、祖霊であったと見ることができる。シチで迎える神もまた正月に迎える神で、本土の魂祭の神と同系統、祖霊であったと見てよい。

上述の歌の作者、和泉式部も曽根好忠も平安時代中期の歌人である。平安時代は、普通初・中・後の三期に分けられ、中期は九六七年～一〇六八年の間の期間とする。少し乱暴な捉え方であるが、都で魂祭がまだ行われていたころを、平安中期の終わりころに仮定して、西暦一〇〇〇年として見ることにする。

『徒然草』の第一九段の項は、文保二年（一三一八年）の年のことを書いたという研究がある（安良岡康作『徒然草全注釈』上　一九六七　角川書店）。それも一三〇〇年ごろと仮定してみる。すると、兼好が「東のかた」に遊んだのはそれからおよそ三百年後である。そのころ、都では行われなくなっていた魂祭が、東のかたではまだ行われていたというわけである。

魂祭の神とシチの神の接点、つまり、日本本土の慣習の伝来か、それとも地元での発生か、そのことはわからない。祭りは、いくつかはその地で創り出されたものもあったであろう。しかしその多くは、時間的にも空間的にも、他から導入されたり融合したりして形成され、今日に至ったものと考えられる。シチという祭りは、いくつかの要素で構成されている。農作業の始め・正月・年神・予祝祭など、これらの要素が最初から一塊（ひとかたまり）となってシチが設定されたのではないであろう。

これらの要素のうち、「年神」の慣習は他から、本土の魂祭の伝来ではないかと思うのである。『由来記』の編纂は一七一三年、それに載るシチという祭りは、それ以前から行われていたはずである。薩摩の琉球侵攻は一六〇九年、以来仏教が伝来し、八重山には大和在番が駐留するなど、本土との交流は蜜に、大きな流れとなっていった。しかし、それ以前からも人々の交流があり、本土の文化が静かに伝わっていた。その流れのなかで、九州まで伝わっていた魂祭の行事が、八重山あたりまで伝えられたのではないだろうかと思うのである。

そこで、ちなみに沖縄に関する事典・辞典で、『沖縄大百科事典』(沖縄タイムス社)・『沖縄文化史辞典』(真栄田義見ほか)・『古代の沖縄』(宮城真治)・『八重山歴史』(喜舎場永珣)・『八重山民俗誌』(喜舎場永珣)等で調べてみた。ところが意外にも、そのいずれにも年神・年縄については述べていない。年縄、年神の習俗は八重山だけ、それも『由来記』に記す時代だけの慣習ではなかったかと思われるのである。

この現象をどう見るべきかと考えた時、思い当たるのはただ一つ、大和在番の駐留であった。大航海時代、スペイン・ポルトガルの船がたびたび波照間島や西表島祖納に立ち寄っていた。南から北上してくるこれらの船は南蛮船と呼ばれたが、彼らは宣教師を伴い、キリスト教の布教もしながら上ってきた。

やがて徳川幕府はキリスト教禁止令を出し、南蛮船を監視する目的で役人(兵士)を派遣した。薩摩から派遣された役人たちは大和在番と呼ばれ、一六四一年から一六四八年までの八年間駐留した。当初石垣に滞在したが、後祖納に移され、彼の地に駐留した。大和在番の駐留は八重山だけで、宮古にはこの制度はなかった。

大和在番は、本来の公務の他日本文化の普及を図った。「多くの芸術家を駐在せしめて、茶の湯、謡曲、能楽、浄瑠璃、活花、舞踊、狂言、弓道、割烹、カルタ等の近代日本の芸能文化を移入して、八重山の文化に貢献した」と、評価される(喜舎場永珣『新訂増補八重山歴史』一九七五 図書刊行会)。

芸能だけではない。具体的な事例を二、三挙げてみる。鳥居は神社のシンボルである。御嶽は、もちろん神社ではない。ご神体もない。ところが、八重山の御嶽には、ほとんどに鳥居が立っている。子供の頃、御嶽を「お宮」と呼んでいた。このような発想を伝えられるのは、大和在番しかいない。

八重山のお正月の飾りは、他地区の人々が見て驚き、珍しがる。床の間に額（朝日・松に鶴など）を掛け、手前には右から、重箱（紅白の紙で縁取り）に米を盛ってその上に炭・昆布を乗せ、隣にお神酒・塩・三宝に鏡餅を供える。今では、正月になるとスーパー、デパ地下などで売られるようになったものもあるが、八重山地方では戦前から、恐らくは大和在番の時代から伝えられてきた、と推測される。

西表島西部に祖納と呼ぶ小さな村がある。その村には、他の多くの村では行われなくなったシチ祭が今も行われている。奉納される踊りの音曲のなかに、「五尺手拭」・「ググハ」と呼ばれる古謡がある。歌詞が日本語で綴られていることから、これまでの研究や報告では、「実に奇妙で、不可解」などとして扱われてきた。

しかし調べて見ると、「五尺手拭」は元禄時代の終わりごろから三味線歌としてはやり、江戸時代には北は岩田県から南は鹿児島県まで流行していたことが分かった。しかし、驚いたことにこの古謡は、鹿児島県は海を越えて沖永良部島まで伝わるが、その先は沖縄本島や宮古島・

写真３　石垣市旧家の正月飾り
（宮城文『八重山生活誌』より）

石垣島を通り越して、忽然として西表島の祖納村に現れるのである。あたかも、日本列島を縦断して薩摩まで伸びてきた布の先がちぎれて、その一片が遠く飛んで祖納に舞い落ちたようである。これなども、大和在番の駐留を抜きにしては考えられない。

上記の推測通り、『由来記』に述べる年縄・年神の行事が八重山地方だけに行われていたとするならば、その由来は、大和在番によって伝えられたと見るほかはない。そしてもう一つ、それがなぜ『由来記』の時代止まりになって後世には伝わらなかったのか。そのことについては、シチが変質したと見ている。仏教の伝来によってシチは、二、三か月後、十月、十一月へずらされた。それを契機として、シチの祭り方に変化が現れ、「年帰し」(正月)としての意義を失った。

『由来記』に載るシチの調査は一七〇一年から一七〇三年にかけて行われた。和泉式部の時代からはおよそ七〇〇年後、吉田兼好の「東《あずま》のかた」の体験からはさらに四〇〇年後となる。そのころ(『由来記』の時代)、さらに辺鄙な八重山地方では、魂祭がまだ行われていた。『由来記』の時代の吉田兼好なら、「南のかたには、なほする事にてありしこそ、あはれなりしか」と、感慨深く述べたに違いない。

3　「三日遊び申也」

シチにはもう一つ、「三日遊び申也」の要素があった。ここでいう「遊び」は、農作業の始めと必然的に伴う祭りである。ことを始めるならば、それがいつであれ何であれ、人情としてそれがうまくいくようにと働く意識や感情が起こる。農作業の場合、植える作物がよく育つように、よく実るようにと祈る気持ちが自然に湧いてくる。それが形となったとき予祝祭、予祝行事となる。「三日遊び」は予祝祭であった。

「遊び」について『沖縄大百科事典』（沖縄タイムス社）は、次のように述べる。

本土古語の「あそび」に対応する。遊ぶこと。野原や海浜、庭などに連れだって遊楽すること。歌・三味線・踊り・芝居などに興じる意で多く用いられる。古くは神女歌舞や船遊びなど神事的な歌舞・行事をさして用いられた。

この遊びがどのように行われ、どのような光景であったかは想像するほかはない。シチはすべての作物の収穫を終え、収穫感謝祭の後二〇日ごろに日を定めて行われた。その間人々は物忌に服し、慎んだ生活を送った。シチの日を迎えると、物忌を解かれ、人々は熱く燃えた、と思われる。仏教の伝来でシチが二、三か月あとにずらして行われるようになると、「三日遊び」の行事は後に残され、現在どの村でも最も大きな年中行事といわれるプール、豊年予祝祭になった。

このようにある意味で複雑、多様な要素が整然と秩序正しくまとめられている祭が、八重山地方全域で等しく行われていた。一つの村から、あるいは一人の物知りの知恵と言葉からはこのような現象は起こらない。キーマンはやはり大阿母であった、と思っている。

この地方にいつ頃稲作が伝わったか、明確な時期はわからない。しかし、一五世紀の中頃、済州島漂流民の記録から、与那国島や西表島で原始的ではあったが、既に水田稲作の行われていたことが分かっている。イネの栽培は田打ちから苗代つくり、播種・田植え・田草取り・施肥……と、ほとんど一年を通して時間と手間がかかる。イネが成長し、収穫を迎える期間、その過程で様々な呪術や宗教的行為が営まれていた。

しかし、『由来記』に記すシチを推測すると、呪術的・宗教的要素はかなり集約されて、儀礼は純化されているように思われる。村々のツカサがそれぞれの稲作儀礼を話し合い、意見交換しあうようになった。おそらくそれを何度か繰り返していくなかで、共通認識と祭りの形が練り上げられていったと思われる。そして、先に述べたように、その中心に大阿母がいた。

三　シチの変質

1　仏教の伝来

今日では南海山桃林寺（石垣市字石垣）の建立をもって八重山地方への仏教の伝来とする（一六一四年）。最初の住職は艦翁和尚であった。仏教の伝来について、新城敏男は次のように述べる。

桃林寺の創建は多分に政策的背景をもってなされ、その役割とする航海安全、国王長久などの祈祷は、八重山古来の御嶽信仰とならんで営まれた。一方、人々にたいする布教も祖先崇拝と結びついてなされたが、すべての住民を対象とするには至らなかった。」と、述べている（「仏教の伝播と信仰」『八重山の社会と文化』一九七八　木耳社）。

『八重山島年来記』の一六七八年の条にこのような記述がある。「葬礼の時、役人の多くは位牌がある。しかし百姓らは少しも位牌がないので、すべて位牌を仕立てるようにすること。……位牌は下々の者まで志次第に仕立てて弔うこと。先祖祭りは、役人以下に至るまで、毎年二・八月に紙銭を焼き、七月十三日より十五日まで聖霊を迎え、各人が相応に質素に祭ること。」(『石垣市史叢書』一三　一九九九　石垣市史編集室)。

そもそも、きっかけは薩摩の検地役人が報告した「当地には寺院なく、人々は未だ神仏を知らず常に異端を崇信し、邪行に迷う」のひとことであった。当時の人々の信仰基盤からすれば、「仏教の神」は逆に邪教で、理解しがたく、とても受け入れがたい存在であったに違いない。その昔、彼らには、広く信仰されていた「イリキヤアマリの神」(作物の耕種や、火で煮炊きする飲食の法を教えた)を首里王府によって禁止され、それがアカハチの乱の一つの要因になったといわれる歴史もあった(尚真王十年、一四六八)。

シチは、戦後のある時期までは、八重山地方のほとんどの村、家で行われていた。現在は石垣市北西部の川平村、西表島西部の祖納・干立・網取の村々で残るだけである。現在まで伝わってきて消えたシチも、残るシチも、『由来記』に記すシチとは時期も形態も大きく異なる。このことについて宮良賢貞は、次のように述べている。この見解は民俗学者の比嘉政夫・湧上元雄も高く評価し、今日では定説となっている。しかし、蛇足とならない程度に補足しておく必要がある。

沖縄での一月正月は舜天王の時代からはじめられたと球陽にはあるが、仏教が伝来するまでは、節祭りが正月に相当する折目であったのである。仏教が伝来して旧暦七月が仏教の月になったので、七月の豊年予祝祭が穂利《プーリー》と合流し、また遅れて節祭になったのではないかと思っている（「根来神〝まゆん・がなしい〟について『沖縄文化』一九七一　沖縄文化協会）。

現在行われているシチも、かつて戦後のある時期まで広く行われていたシチも、「己亥の日」を選んで行われている。この点は、かつてのシチの性格を受け継ぎ、変わらない。しかし、行われる時期は十、十一月にずらされ、大きく異なる。その理由は宮良が指摘する通り、七月が「仏教の月」となったからであろう。旧暦七月は法事・仏事の月として、結婚式・新築祝い等々の慶事を避ける。

しかし、最も大きく異なった点は、「年帰し」と言われた、シチの持っていた正月としての性格である。シチの持っていた「年帰し」の性格、正月としての意義を失せ、「年縄」が不要となった。替わりにシチカザ（次項）が登場し、家内・屋敷内から悪霊や邪鬼を追い払う役割を与えられた。意識が神から人へと移った。

上記宮良説で最後に指摘しておきたいことは、「七月の豊年予祝祭が穂利《プーリー》と合流し」の部分である。「七月の豊年予祝祭」は、シチの「三日遊び申す也」を指している。シチが七月にあって、正月で農作業の始めであったときは、「三日遊び」は、確かに向こう一年の豊作を願う予祝祭であった。シチがずらして行われるようになったとき、シチ本体は動いたが、「三日遊び」はあとに残され、それ自体が後にプール（豊年祭）に変わった。

ところが、宮良説ではそれとは別に、既に穂利（プールと同義）が存在したことになる。六月すべての農作物（イネが主）の収穫が済むと、収穫感謝祭が執り行われた。この祭事はシュビニガイ（「首尾願い」か「終備願い」）と呼ばれ、一年の祭事の中で最も厳かに行われた。それから七月のシチまでの間は二十日あまりほどであろうか、人々は物忌に服していた。鳴り物入りの最も賑やかな祭り、「穂利」などは存在しなかったのである。

2　シチと柴差

しかし、時とともに仏教は受け入れられ、普及していった。シチになると、子供たちに与えられた仕事があった。野山に行ってシチカザを採ってくるのである。シチカザはシダ類カニクサ科のつる性多年草で、種類も多い。「つる状の地上部は葉の変形したもので、針金状の柄が他物にからみつき、長さ一・五〜二メートルになる。葉状の部分は羽片で、基分で二分し、各々がさらに三〜五裂する」（『日本国語大辞典』小学館）。

上記の説明では判りにくいと思われるが、細い紐状のつるに葉が交互についている植物を、身の回りの体験から思い浮かべてもらうとよい。シチカザは家の中の柱・庭の木々・農具など、とにかく気の付くものには牛の角にまで巻き付ける。

植物のつる草が祭りのシチと結びつく必然性はない。上述したように種類も多い。恐らく身近にあるという理由であろう、

写真4　トウヅルモドキ（川平村）

村によってシチカザは異なる。この植物がシチの日に用いられるのはその形状による。左綯《ない》の注連縄（しめなわ）、つまり「年縄」に似ているからである。いわば擬似年縄である。

石垣市北西部に川平村がある。そこでは、昔村役人が使っていた井戸が拝みの対照となっている。シチの前日、井戸さらいが行われる。その後に二本の竹を立て、トウヅルモドキを一文字に張り渡す。このつる性の植物は、小指ほどの太さのつるに笹に似た葉が交互に付いている。この方がより注連縄に近い。

空間に境を設けるとその内と外、あるいは右と左では異なった意味を持つようになる。年縄は、おそらく門口で左右に引いたのであろう。年縄を引いた内側は聖なる空間で、そこは神を迎え、神の坐《ましま》す所となる。年縄は、外から入り込もうとする悪霊や邪鬼を防ぐ役目を持っていた。

それに対して、シチカザは内に潜んでいると思われる悪霊や邪鬼を外へ追い払い、内を浄化するために行われる。さらに、それでは不十分と見て、波打ち際から清浄な砂を持ってきて庭に撒く。波が寄せる度に砂を七回すくい取り、濡れた砂を屋敷の奥から門に撒いていく。ナナサイヌパナ（七汐の花）という。

この屋敷内　城（屋敷）内　　汐の花を取ってきて
シチをお迎えしてきて　　家の厄払い
屋敷内　城内　　屋敷内の厄払いをするので
家の厄払い　　塵も芥も　あらしめ給わないように
屋敷内の厄払いをして　　御守護してください
申し上げるので　　家長　家内大将をはじめ

子（北）の方の　神加奈志（神様）　家族　家内子どもたちを
十二方の神加奈志前（神様）　御守護してください
御守護してください　家内の繁栄を　あらしめください
ナナサイヌパナ（七汐の花）　（原歌方言、採譜・訳　大城　学）

そして、このようなことも執り行われた（宮城　文『八重山生活誌』一九七二　城間印刷所）。

シチ珠は、苧麻を長さ四〇センチ、木綿糸ほどに撚り、輪結びの珠を作ったものでブー珠ともいい、魔除け用のものである。
シチ珠は、母か祖母が仏前または火の神の前で作る。シチ珠を作るには、グシ（酒）一対とツカンパナ（一つかみの米）を供えて祝詞をあげ、祈りをこめて作る。シチ珠は、七つ珠（七結び）は男の子、五つ珠は女の子用である。
拝み奉ります。今日はシチの日でございますので家族衆の守り珠を火の神様の御前で結ばせていただきます。なにとぞ悪風邪、魔物にも当たらぬよう、驚きごと心配ごともなく、善道吉道を踏ませてくださるよう、お守りくださいませ。

さらに、「頼れるならば何でも」という切実さがあったのか、シチカザ・シチ珠に併せて沖縄本島の習俗、「柴差」が用いられた。柴差については、宮城真治の詳細な報告がある。要約して述べると次のようになる。

当日は住宅・畜舎・倉庫等の建物の四隅の軒端に「しば」と称する藪肉桂（クスノキ科の常緑高木―筆者注）の枝（所によっては桑の枝）に薄の穂を結んだものを添えて挿し、宅地内の樹木や井にも「しば」を挿し、諸道具等にも「ちからしば」の穂を挿し、昔は男女ともに髪にも挿した。晩には「シバシカシティ」と称し、小豆を入れた強飯を祖神、祖霊に供えた（「沖縄の正月は八月であった」『古代の沖縄』一九五四新星図書）。

『沖縄文化史辞典』は「しばさし　柴差」の見出しを付け、そのなかで次のように説明する。

> 薄三本と桑の小枝を束にしたシバを、住居・畜屋・納屋などの建物の四隅の軒端や門の西側、味噌瓶、大豆や塩を入れた瓶の類、宅以

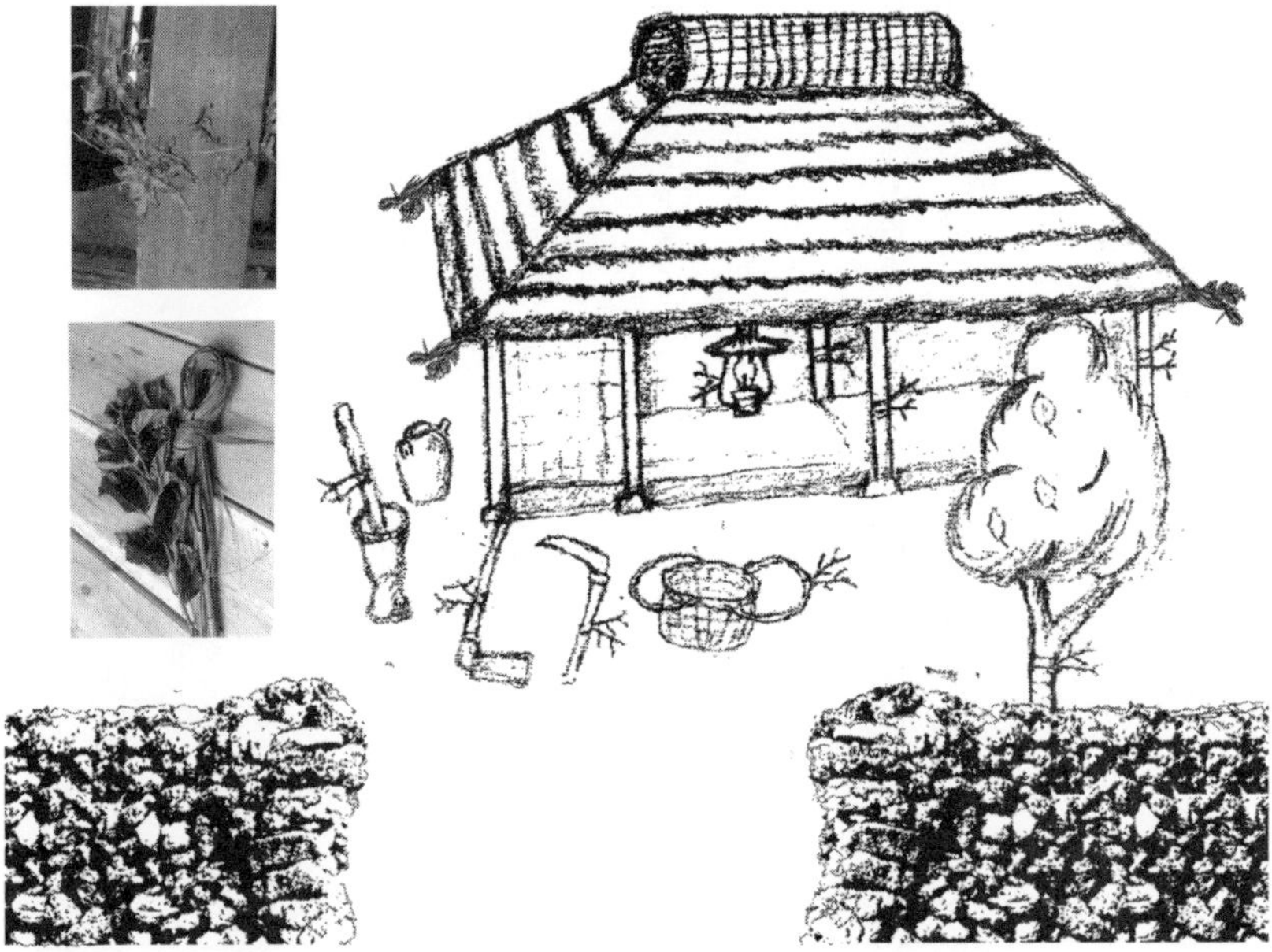

図４　シチカザ・サン・柴差（図　寄合英名氏）

内の樹木・井戸・田畑などにも差して魔除けとした

八重山地方では、昔から「サン」と呼ばれる「呪物」が用いられていた。ワラ・ススキ・紐などで輪を作って結んだもので、蝶結びを思い浮かべてもらうとよい。魔除けの力があるとして必要なところ、必要なときに差したり結んだりする。

ススキのサンと桑の枝を併せて束にしたものも「サン」と呼び、シチの日にはシチカザと併せて、屋根の四隅に差す。しかしこの習俗は沖縄本島の「柴差」の行事が伝わり、その影響を受けたと見ている。八重山地方では古くから「サン」の観念と慣習はあったが、桑の葉とともに扱い、さらにシチの日に用いる風習もなかったからである。

四　神々の運命《さだめ》と行方

1　浮遊する神々

シチは「年帰し」、「年縄を引き」、「皆々遊び申す」の三部の儀礼で構成されている。なおまとめれば、「年帰し・年縄を引き」と「皆々遊び申す」の二部構成となる。そして前者は、正月と年神（来方針、祖霊）の関係となる。

仏教の伝来でシチは二、三か月ずらして行われ、正月としての性格を失っていった。シチの変質に伴って、年神も変質していった。その後のシチは家々で行われる形態と、村の祭りとして行われる形態に分かれていったが、年神の運命《さだめ》も併せて分かれていった。

家々で行われたシチでは、年神は家から離れて祭られない神となり、やがて浮遊神となって「妖火」や「火の玉」など、怪しい現象として目されるようになった。祭られない神の観念は仏教にもあり、仏事においては「無縁仏」として扱われる。例えば八重山諸島では、お盆の三日間、食事を供える前には必ずミジヌクを庭に向かって撒く。ミジヌク（水の粉）は、ボールに水を張り、野菜・果物などをきざんで入れたもので、無縁仏がそれを拾い集めて食べている間に、先祖たちは食事をするという。

しかし、お盆で祭られる先祖も無縁仏も本質は同じで、どちらも近い過去の死者である。それに対し、村で祭られる神は年神の系統を継ぐ神で、遠い過去の死者である。子孫（村人）の長い供養で浄化され、祖霊となった神である。つまり、家で祭る先祖や無縁仏と、村で祭る神は遠い過去、近い過去の違いはあっても、正体は死者で、本質的には同じである。

シチはグショー（あの世）の正月ともいわれ、死者たちが動き回るといわれた。シチ火（妖火）となって現れ、予兆にもなると考えられた。人々は夜それを見ようと村はずれ、遠くまで出かけ、そして、（真偽はわからぬが）「見えた、見えた」などとささやき合った。あるいはまた、大型の鍋（シンマイナビ）の蓋（カヤやワラで作る）を被って木の下でいると、あの世の人々の話し声が聞こえるともいわれた。

この風習は、沖縄本島や周辺諸島ではかなり古くから行われていたようである。宮城真治は、先に紹介した著書で次のようにも述べている。

この祭の頃を山原では俗に「しばし」または「すばし」と云い、中頭や島尻では「ようかび」と云う。妖怪が出ると称して、夕刻より爆竹を鳴したり、法螺《ほら》貝を吹いたりしている。また門に竹箒を横たえたり、磨臼《すりうす》に釜蓋を被せて置いたりする。これらは何れも邪鬼を避けるためと解されている。

「しばし」の夜は四五年以内に起こる凶兆が現れると言われている。凶兆としては白煙が立ったり、火の玉が上がったり、泣き声が聞こえたり、板音が有ったり、桶底を落とす音が起こったりすると言われている。そのために、見渡しのきく丘の上に小屋掛けをしたり、あるいは樹の上に櫓を架いて大人も子供もそれらの前兆を観察する風がある（前出　宮城『古代の沖縄』）。

八重山地方の風習とほとんど変わらない。沖縄本島の「柴差」も、八重山地方の「シチカザ・サン」も同じ地平で語られている。

2　カンフチを唱える神（川平村）

仏教の伝来によって、シチは消失と存続に明暗が分かれた。よく考察してみると、その明暗を左右したのは神の扱いにあった。神を祭らなかったシチは消失し、神を祭ったシチは存続した。ここで重要なことが分かる。『由来記』は、祭りについて具体的に述べない。「皆々年縄ヲ引き」と述べるだけである。しかし、この一語から私たちは、むかしの人たちは、正月に神を迎えていたことが分かる。

現在も行われているシチには神が現れる。そしてその神は、「トゥシヌユ」に現れる。「トゥシヌユ」は年の夜の意で、『由来記』の「年帰し」の夜である。その神は、現在シチを行うために、わざわざ設けたのではない。そのような発想は生まれなかったであろう。彼らは（現在シチを行う人々）は、記憶をたどり、神の来訪する伝統を絶やさなかったのである。

しかし、神に変化が現れ、神の祭り方も変わった。『由来記』の神は姿を見せなかった。現在のシチの神は具象神である。『由来記』の神は家ごとの神で、家々を廻らなかった。しかし、現在のシチの神は村の家々を廻る。神が姿を現し、家々を廻って村の神となった故に、祭りが現在まで続いた。

石垣市の北西部に川平村という集落がある。前には景勝川平湾、北には人気のダイビングスポットを有し、多くの観光客を呼び寄せる。多くの村からシチ祭は消えてしまったが、この村は、今もシチの行われる村の一つである。しかもこの村では、『由来記』の時代の「節の事」（シチ）はこのようであったかと思わせるほどに「年帰し」、「年縄を引き」、「三日遊び申す」が執り行われている（拙著『八重山・祭りの源流―シチとプール・キツガン』参照）。ここでは「三日遊び申す」を省略して、「年帰し」と「年縄を引き」について、「年神」（来方神、祖霊）を中心に述べることにする。

「年帰し」は年改まった、「正月が来た」の意である。川平村では、シチは五日間に亘って行われるが、初日は「トゥシヌユウ」という。トゥシヌユウは「年の夜」で、新年の夜を意味する。しかし、この「新年の夜」は私たちが今日いう大晦日の夜ではなく、そこから新しい年は始まる。

今日の私たちの一日は、夜明けから日暮れまで、つまり通常の日常生活、労働の営まれる時間である。また、暦の上での一日は、夜の一二時から次の夜の一二時までの二四時間を指す。しかし、昔の一日は夕暮れ時から次の日の夕暮れ時まで、つまり一日は「昼夜」ではなく、「夜昼」の順序であった。そのことについては、南方熊楠が「往古通用日の始め」(『南方熊楠全集』第四巻 平凡社)で、また柳田国男が「先祖の話」(『柳田国男全集』十三 ちくま文庫)で、それぞれ説くところである。

しかしこの古の慣習、現在行われている行事のなかに、ひそかに留めている場合がある。現在では年越しそばが主流となったが、かつては、年の暮れにはションガチフルマイ(正月振舞)を頂いた。今日のように近くのスーパーに行けば何でも買える時代とは違い、ションガチフルマイはこの上ない馳走であった。そして、それを食することで新しい年は始まった。

正月で年を取ると言われた時代、つまり「数え年」で年を数えた時代、フルマイを頂くことで年を取った。子供の頃、母親や祖母たちはフルマイを頂いたあと、「いくつになったか」と、ニコニコしながら聞いたものである。この理屈でいくと、フルマイを頂く前と後では年齢は異なることになる。フルマイの後に生まれた子供は一歳となるが、何時間かの違いでも、その前に生まれた子供は二歳になる。

現在もシチが行われている川平村でも、もちろんシチフルマイの伝統が受け継がれている。ただし、厳しい戒めがある。現代の感覚では、元日は正月の二日目となるが、川平村ではまだ正月の一日目である。シチフルマイは、その一日目の夕暮れ時までに頂かなければならない。日が落ちて、夜になれば二日目となるからである。

さて、トゥシヌユウを迎えるに際し、家々ではあわただしく動く。「家中掃除、家・蔵・辻まで改め、諸道具に至るまで洗いこしらえ」(『由来記』)、前の浜から足跡のついていない白砂を運んで屋敷内に撒き、白砂を敷いて屋敷内を浄化する。この村では、当然の帰結として、シチカザの発想はない。一方家の中では、主婦が神をもてなす膳や土産の準備に追われている。

夜が更けると、マユンガナシ（マヤの神とも）と呼ばれる神がやって来る。マユンは「真世の」（マヤユとも）の意、ガナシは神の尊称である。「ユ（ユー）」は、豊年・豊作の意を表す。神はクバ笠（シュロの葉で作る）を被り、胴蓑を着け、掛け蓑を羽織る。そして右手には神の象徴となる六尺の棒を持ち、供のマヤ神を伴ってやって来る。

神が門から入ってくると、家の中では主が正座して神を迎える。神は六尺の棒を斜めに伸ばして肩にかけ、それを支えとして、厳かにカンフチ（神口）を唱える。このカンフチは途切れることなく、実に四〇分以上にも及ぶ。神がカンフチを唱え終えると、主は神を家の中へ招じ入れる。

ここからの神の仕草は、いかにも人間臭い。神は用意された水で足を洗い、主婦の差し出すタオルで足を拭いて座敷に上がる。主は、「昨年、来年もまたおいでくださいとお願いしましたが、来てくださってありがとうございます。」と、あいさつの言葉を述べ、どうぞ伴マヤも呼んでくださいと言上する。神は「ンー」と発し、畳を三度叩く。神は声を発することはなく、応答はただこの「ンー」だけである。

写真５　カンフチを唱えるマユンガナシ。奥に伴マヤが見える。（提供　平井順光氏）

伴マヤが入ってきて並んで座ると。主は仏壇に供えてあった塩を下ろし、「清めのナンチャマース（銀の塩）、クガニマース（黄金の塩）をどうぞ」と、箸で取って差し上げると、神は手に取っていただく。次に主婦によってお茶が出され、続いて馳走の膳が運ばれてくる。しばらく主と神との共食が行われる。主の話しかけに、神は「ンー」だけである。傍らに煙草盆が置いてあるが、必ず置く物といわれる。

やがてムトゥ（本、主たる）マユンガナシが体をゆすって、カサカサとミノが音を立てると、伴マヤもそれに応えるかのように、ミノをゆする。出立の合図である。主が、もう少しゆっくりしてください、というが応答はない。主婦が土産を渡すと、神はそれを受け取り、腰に下げたアンスクに入れる。アンスクはアダンの気根を引き裂いて細い縄を綯い、それで編んで作る。

神々が外に出ると、縁側で見送る主が、後々までの語り草となります、子や孫たちに神の国の踊りを見せてくださいと頼む。神々は棒を持った両の手を三度上げたり下ろしたりする。それから棒を振り上げて右回りして下ろし、次に左回りして下ろす。主が〝さて見事〟と讃えると、神々はミノをカサカサと音立てさせながら去っていく。

さて、主のもてなしから、この神々の正体と性格が推測できる。まず、最初に差し出された、仏壇に供えられた塩である。仏壇は死者、その家の先祖を祭る装置である。その時の塩は、その家で祭られる先祖と神々を結び、その関係を明かす。そして傍らに置かれた煙草盆、八重山諸島では、仏壇には必ず煙草盆が置かれる。この煙草盆も、この家で祭られる先祖たちと変わらないもてなしである。

察せられるように、その日の神々はこの家で祭られる先祖、そして祭るこの家の人々と、深い絆でむすばれている。そうでなければ、毎年の来訪を期待し、喜んで迎えて、温かくもてなすことはしないであろう。神々もまた、毎年遠いところから、はるばるやって来ることはしないであろう。神々は、現在祭られている先祖や祭っている人々より遠い先祖、つまり祖霊である。現在祭られている先祖や祭っている人々も、その子孫である。

そのことを、身を以《も》って語るのが、神が述べるカンフチ（神口）である。神は、初めに当家の無病息災、長寿、繁昌を祝福して唱えるが、四〇分を超えるカンフチの中心は農作物の栽培、育成についてである。十数か所にも及ぶ田畑の存在する地区を挙げ、イネ・ムギ・アワ・イモ・マメ・キビなどの作物の栽培方法を語る。すべてが、かつて遠い昔実際に実践し、そこから得た知識・技術を延々と伝えているのである。そこから、毎年決まって訪れる神が遠い先祖、祖霊であることが分かる。

3　里帰りする神　伊原間村

石垣島を地図で見ると北東部に、通称フナクヤ（舟越し）と呼ばれる、陸地が細くせばまった箇所がある。そこをフナクヤと呼ぶのは、漁師たちが舟を持ち上げて反対側に移動するようになったからである。その近くの東海岸に、伊原間《いばるま》と呼ぶ村がある。

その村でも、現在もシチ祭が行われている。しかし、ほとんど実体はない。時代とともに移り変わる姿を記録で追ってみる。宮良賢貞の報告によれば、明治四五年までは行事が行われていたという（「根来神〝まゆん・がなし〟」『八重山芸能と民俗』一九七九　根本書房）。

神名　マヤンガナシィ、大《ふー》マヤ（男）・マヤマ（女）

男マヤ・女マヤの二神出現。

神衣　仮面をかけ、あごひげの隙間から外界をみる。頭にススキの茎葉三本挿す。芭蕉の葉で編んだ衣装をつける。

※「あごひげの隙間から外界をみる」

面の目・口は、シャコ貝の殻で、濃い青緑の部分を切り取って薄く磨き、はめ込んである。伝承では、マヤの神は夜も働く夫婦だったといわれ、夜もよく見える目をもっていたといわれる。

神杖　魔除けの杖である。和名アテク。右手に持つ。六尺の棒。

神の座敷　村の東方の海岸で身を浄め、口すすぎして神衣を着け神人となる。

訪問の順序　トネモト、行事を始めた家、ツカサ、村の年長者の家を順番にまわる。

すでる場所　村西の海、神衣を流し海水でなで水をして新生する。神杖は村で保管する。

その後、祭りは簡略化して行われるようになった。『伊原間村誌』（一九九三年　石垣市伊原間公民館）によれば、かつてシチは三日に亘って行われた。初日の夜はマヤヌニガイ（マヤ神の祈願）と呼ばれ、マヤの神を祭る。各家はカームチ（バショウやゲットウの葉で包んだ餅）、酒、肴などを携えてトウザトヤ（家）に集まった。トウザトヤはマヤの神を祀る神ツカサの家である。持ち寄った供物を供えて五穀豊穣・無病息災を祈願し、後祝宴となった。

宮良賢貞の報告では、家々を廻るとして、順序は「トネモト、行事を始めた家、ツカサ、村の年長者の家を順番にまわる。」と、述べる。そのことについて村誌は、「明治の末頃までは、マヤの面をかぶり、ターバリ（田の地名）をとなえながら各家々を廻り繁栄を祈願した。」、と記す。

それでは、現在はどうか、公民館長の根間建有氏に電話で聞いた。マヤンガナシィ（「真世加志」と、ここではいう）の面は男マヤ（大マヤ）、女マヤ（マヤマ）の二神あるが、現在は「石垣市立八重山博物館」に委託、保管してもらっているという。年に一度、シチの日に二神（面）は里帰りをする。ここでは神が村に訪れるのではなく、村の代表（公民館長）が迎えに行く。

公民館では祭壇を設《しつら》え、二神を安置し、供物を供えて拝む。ところが、ここでは、そのそばにはもう一神、ミルク神（面）が安置される。ミルクは「弥勒」で、豊穣・豊作の神として、八重山地方では広く普及する神である。

ひととおり祭儀が済むと、供物を下げ、供えたお神酒をまわし、ミルク歌を謡う。直会である。それからは賑やかに歓談が続く。その日の参列者は神職、公民館長ほか幹部、村の主だった人たちである。その後、適当な日を選んで、マヤの神を（博物館へ）お送りする。

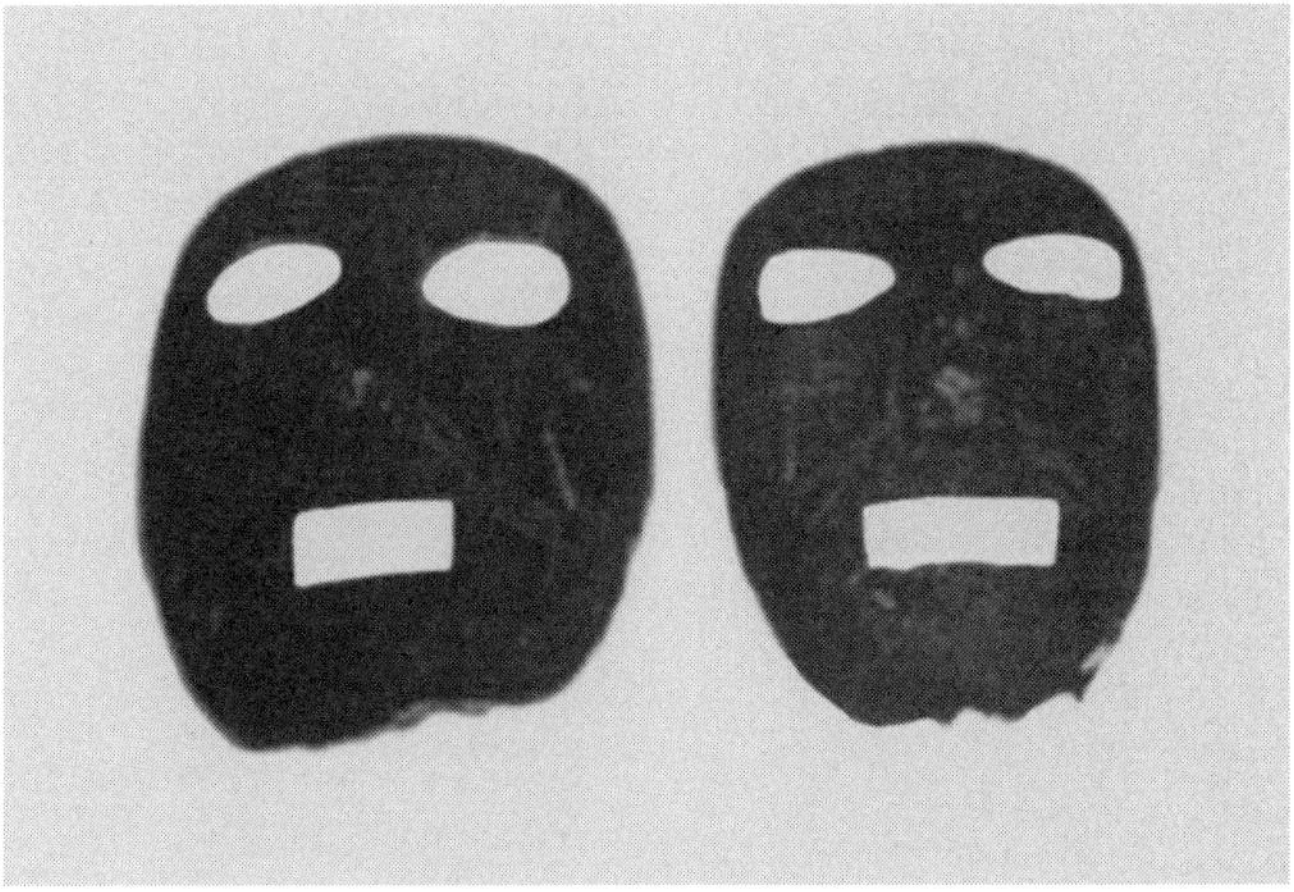

写真６　マヤンガナシィ
（左男マヤ・右女マヤ、提供伊原間公民館）

『由来記』のシチは、「年帰し」・「皆々年縄ヲ引き」・「三日遊び申す也」の三部の儀礼で構成されていた。仏教の伝来で二、三か月ずらして行われるようになったが、その後シチは、この三つの儀礼のどちらかの影響を受けて行われるようになった。この村の場合は、「三日遊び申す也」の要素を中心において祭りが構成されたと思われる。

「三日遊び申す也」は予祝祭で、今日多くの村々で行われているプール（豊年祭）はその再現である。「カームチ」・「豊穣祈願」、「ターバリ」（田の名）をとなえながら家々を廻る、これらは豊年祭の儀礼を構成する要素である。この要素が、ミルクを祭りに呼び込んだ。

石垣島は中央に於茂登山脈があり、北側は裏石垣といわれる。川平村から湾を回り、海岸沿いにはいくつかの小さな村が存在した。それらの村でも、かつてはシチが行われていた。しかし、今はほとんど行われていない。その状況を、宮良賢貞は前書で次のように報告している。

桴海《ふかい》　第二次世界大戦で村移動して中止となる
仲筋　大正の中頃廃村となる
野底　明治二〇年前に中止となる。
平久保　昭和の初め頃まで行事あり。その後節祭の初日に仮面（男マヤ・女マヤ）の供養をしている。

4　祖納カタギとシチ　西表祖納村

西表西部に祖納《そない》と呼ばれてきた村がある。八重山歴史上、古代から近世の社会においては特出した村であった。一五世紀の後半、八重山が群雄割拠とも英雄時代ともいわれた時代、外離島《ふかぱなり》から出た豪勇、慶《け》来《らい》慶《け》田《だ》城《ぐしく》用緒《ようしょ》は祖納に移り、指導者となり村をまとめた。オヤケアカハチの乱では王府方に加担し、難を避けて西表島（東部）に逃れてきた石垣村の長田大主《なーたふーじ》を世話し、乱が収まると舟を仕立てて送り返している。初代用緒から十代に亘る事績を記録した『慶来慶田城由来記』は、八重山歴史研究上の第一級の史料となっている。

この村でもシチ祭が行われている。ところが、「シチ」と名称は付いているが、その形態も性格も、他の村の祭りとは全く違う。まるで別の祭りである。シチは三日に亘って行われる。初日を「トゥシヌユ」といい、セツマキカッツァ（シチカザ）を巻き、海岸から白い砂利（ここではサンゴ）持ってきて家の内、外に撒く。それからシチフルマイを頂く。ここまでは静かに、厳かに行われる。その日の行事は他の村々でも行われてきたそれと変わらない。

ところが、ユークイ（世乞い）と呼ばれる次の日は、まるっきり様相が変わる。村の南海岸、前泊浜が祭場となる。船浮湾に面し、目の前には歌に名高いマルマブンサン（まるま盆山、岩島）が、すぐ近くに見える。時が来ると（午前十時ごろ）、棒踊り・船漕ぎの一団が入場し、続いてミルク（弥勒神）の一行、そして最後に、芸人と呼ばれるフダツミと踊り子たちの演技者が次々と登場する。

出し物が多彩多様、それぞれの所作に合わせて鳴り物、歌、掛け声が付随し、観客から拍手、歓声が湧き上がる。賑やかな行事である。毎年多くの観客を呼び寄せ、新聞・テレビのマス・メディアの人たちが取材に訪れる。なかでも、頭のてっぺんからつま先まで、黒い衣装で身を包んで登場する異形、フダツミに注目が集まる。一度見たら、後々まで脳裏に強い残像を残すに違いない光景である。

この祭りについては多くの研究者が報告している。しかし、ほとんどがドキュメンタリー風、つまり祭りの実際を記録風に書き留めている。そしてこの祭りを、あたかも秘祭と見るかのように、祖納独自の祭りとして扱う。その中で、比嘉盛章が民俗学的な考証を試みている（「西表の節祭とアンガマ踊」再販『南島』第一輯　一九七六　東京八重山文化研究会　三木社）。

この祭りは、現代になって大きな改変が行われている。比嘉の論文はかなり長文であるが、そのことについては、「十五六年前に部落内に紛争を起こり節祭の道具一切を焼却してこの行事を廃止し」と述べる。文末の「昭和十四年十一月稿」からすれば、「十五六年前」

写真７　フダツミとアンガーたち（提供　平井順光氏）

は大正の終わりから昭和の初め頃となるが、伝聞に従ったのであろう。いずれにしても、永く続いてきたこの祭りは、一度廃止されたのである。

もう一人、祖納出身の星勲（一九〇五年祖納生まれ、旧姓大盛《おおもり》）は、「昭和三年西祖納が最後の祈願を祀り東西合議の上よく四年己亥の日道具一切を焼き全祭祀の廃止に及んだ。」と記す（『西表島の民俗』一九八一 有古堂書店）。そして、続けて次のように述べる。

（祭祀廃止の）後十二年間は無祀のままだった。昭和十五年十一月再び催されるはこびとなった。……初年は諸道具焼失に依る無手の祭り日の丸一本の基に祭りの儀式が行われた。中興混成の行事だけに東組西組の取り入れた混ぜ行事の形で行われている。……西祖納はアンガマにふんする婦人、東祖納はミルクとその行列に参加する婦人、少女たち……

この祭りの復活された背景には、そのことを望み強く提唱した人物がいた。比嘉の論文では、「然るに一昨年以来好古癖の小学校長があって、盛んに之が復活を勧めた結果、今年より旧慣に則り盛大に行われるようになった。」と述べる。ここでいう「好古癖の小学校長」こそ、比嘉盛章その人であったと見ている。当時比嘉は、西表小学校の校長であった。

さて、星勲の報告の中で私が注目するのは、「西祖納はアンガマにふんする婦人」の部分である。祖納は、現在は「竹富町字西表〇〇番地」と行政区画されるが、この集落の創建は一五世紀、あるいはそれ以前に遡る。村は岬の高台に始まり、祖納と呼ばれて明治・大正の時代まで続いた。この村の歴史と文化は「祖納村」を基盤として生まれ、発展してきた。しかし、時代とともに岬から下りて住む人たちが増え、低地に村が形成されていった。村の古老に聞いてみると、高台から最後の人（家族）が下りてきたのは昭和の初め頃であったという。

これで村と祭りの構造が明らかとなる。村は西村（上村）と、東村（下村）に分かれる。ただし、民族学等でいう「二項対立」の意味は持たない。とにかく、村はまた旧と新の対立でもある。西村の象徴はアンガー踊りの「フダツミ」であり、東村のそれは「ミルク」である。このように捉えるとフダツミの正体、性格が見えてくる。

「家ごとにばらばらにとり行われる儀礼よりも、一つの地域社会に共通した儀礼や、地域社会全体で執行される儀礼の方がより消えにくいという傾向が指摘されている」（『日本宗教事典』一九九四　弘文堂）。その通りであろう。「儀礼」という言葉はわかっているようで、実は定義するとなると複雑で、やっかいな言葉である。ここではわかりやすく、俗（村人）なるものが、なんらかのかたちで聖なるもの（神）と交歓（祈り・崇拝・供物・直会）し、願事の達成（世乞い）を図る行為としておこう（『宗教学辞典』一九七三　東京大学出版会）。

シチが今日まで続いてきたのは、祭りが「地域社会全体で執行される儀礼」として行われてきたからである。そして、その中心にはコア（核）として「聖なるもの（神）」が存在する。川平村のマユンガナシ、古見村のアカマタ・クロマタなどである。それでは祖納のシチには、この祭りを今日まで続けさせてきた、コアとなる神は存在しないのか。ミルクとフダツミを対比させて考えて見る。前者は神で、後者は芸人といわれている。

ミルク（東祖納）
（神は人間の姿では現れない）
ふくよかな大きな面
黄色い衣装
片手に軍配扇　片手に杖
ミルクヌファと呼ばれる娘たち
どの村でも豊年祭、結願祭
イベントにも現れるポピュラーな神
比較的歴史の浅い外来の神

フダツミ（西祖納）
クバ笠を被り顔を隠す
黒い衣装で身を包む
右手に閉じた扇子、左の手の平を打つ
アンガー踊りの踊り子たち
祖納村だけ
シチだけに出現する
シチの歴史とともに存在した神

このように対比させてみると、両者の形態の違いがよく分かる。ミルクは、黒島の首里大屋子職にあった大浜用倫が公用で首里に上り、その帰途、嵐に遭って安南（ベトナム）に流された。彼の地で滞在中、現地の豊年祭でミルク踊りを見て感激し、面と衣装を作らせて持ち帰った。尚穆王四〇年（一七九一年）のことである。八重山地方のミルク拝みはそこから始まったと言われているが、はやり風邪みたいに一気に広がったのではないであろう。今日のように、村々で広く行われるようになるのはかなり後のことと思われる。

それに対し、『由来記』（一七一三年）に載るシチの調査は一七〇一年から一七〇三年、当然シチはそれ以前から行われていた。ミルクの普及よりもはるかに古いのである。そのシチは、仏教の伝来と普及によ

写真８　ミルクとファー（子供）たち（提供　平井順光氏）

り形態は大きく変えたが、現代まで続いている。そして、その中心には、「地域社会全体で執行される儀礼」の対象、「聖なるもの（神）」が存在した。

先に述べた対比から察せられるように、その神にミルクはなれないのである。シチの中心になっていた「聖なるもの（神）」の性格は祖霊であった。ミルク（神）は時代的に新しいだけでなく、遠い異国からお連れした神であったからで、なり得ないのである。

結局その神は、先に述べた対比から察せられるように、今は芸人と呼ばれているフダツミ以外にはいない。なぜこのようなことが生じたのか。この祭りは、昭和の初めごろ、祭りの道具一切を焼却して廃止した。村内に紛争があってというが、詳細は分からない。比嘉盛章の報告には、「村人はこれを以て文明人のなすべき当然の処置と考えて居たらしい。」と記す。

「文明人」の反対は「未開人」となるが、何が彼らにそう思わせたのだろう。その後の経緯から推測して、的になったのはフダツミではなかっただろうか。名称も、元から「フダツミ」ではなかったであろう。それが、神の名とは思われないからである。この祭りは昭和一五年に復興され、現在の形になった。その折にミルクを入れて祭の中心となし、性格を「世乞い」の行事として大きく編成変えさせた。

川平村ではシチにマユンガナシの神を迎えるが、ミルクは結願祭に登場する。同じく、古見村では豊年祭にアカマタ・クロマタの神が出現するが、そこでもミルクは結願祭に現れる。一つの祭りにふたつの神は両立しない。復興された祭りでは、ミルクはありがたい神として迎えられたが、フダツミは「非文明的伝統」として扱われ、芸人として位置づけられたと見ている。それにしても、この見事な「潔さ」はどこからきたのであろう。

西表西部には、戦時中軍艦も寄港したほどの深く、入り込んだ船浮湾がある。祖納は湾の入り口、東側から拳のように突き出た岬の高台に村があった。現在も台風時には、嵐を避けて大型船が立ち寄る。岬に立って沖を見ると、視野いっぱいに東シナ海の大海原が開けている。晴れた日には、水平線のかなたに与那国島が見えるという。

岬に人が住みつくようになって以来、この村の人々は、この広大な海と深く関わってきた。伝承によれば、その昔、祖納堂なる豪の者は「をはたけ」というところに住んでいたが、ある日水平線の彼方に島影（与那国島）を見て、兵船を仕立て、勇力の者十数人を引き連れて彼の島に渡り、島の酋長二、三人を生け捕り、降参させたという（「をはたけ根所」由来『由来記』）。

また、平久保村（石垣島北東部）の加那按司は近隣の小さな村々の者を脅して、下男のように自分に従わせていた。それを聞いた慶来慶田城（用緒）は一人でくり舟に乗り、平久保に渡って加那按司を退治した（『慶来慶田城由来記』）。やはり、正義感の強い男であったと見える。その帰途、石垣の長田大主《なーたふーじ》に会って意気投合し、義兄弟の仲を誓いあった。

一四世紀から一五世紀頃、八重山諸島の周辺では、ヤマトの商船が活発な活動を展開していた。彼らは島々に立ち寄り、食料や水を補給するとともに物々交換で島の特産物を買いあさった。その取引のなかから鉄が渡った。ヤマトの船乗りが井戸を掘った、鍬や鎌を作って島人に与えた、等々の逸話が各地に残されており、その船乗りが農耕の神として祀られている例も多い。また当然ながら、ヤマトの人と島の娘とのロマン、恋物語も島々で語り継がれている。

船浮湾にもヤマトの船が現れ、祖納にも寄港した。祭りの三日目に「トゥズミ」（止め）と呼ぶ行事が行われる。この行事は古の時代、慶来慶田城用緒が、鉄を持ち込んだヤマトの男に掘らせたと伝えられる井戸で行われる。ウーヒラガー（大平井戸）は神聖な井戸とされ、元日の朝早く、村人はその井戸から水を汲み、その水で顔や手足を洗い、煮炊きもする。

ところで、その時代を背景にして、フダツミとアンガー踊りについては異なった二つの伝承が生まれた。一つは、ヤマトの男と村の娘との恋物語である。詳細は他書に譲るとして、ヤマトから来た男と村の娘が恋仲となり、娘はその妻となって村を出た。しかし、後に娘は村に戻ってきた。アンガー踊りは、その娘がヤマトで習った踊りを村の人たちに教えたという。そして、黒い衣装で身を包むのは、村人に顔を見られたくないからだといわれる。

もう一つの伝承は、こちらは村の娘が異国にさらわれて異国に渡ったという猟奇的物語である。これも詳細は他書に譲るとして、娘は異国でその人の妾となった。そして、やはり娘は村に戻ってきた。アンガー踊りは、その娘が村人に教えた異国の踊りだという。娘は村人に顔を見られるのが恥ずかしいので、あのように黒い衣装で身を包むのだという。

さて、この二つの伝承は矛盾だらけの物語であるが、それでも二つの重要な情報を引き出すことができる。一つは、ここでも、フダツミはミルクよりはるかに古い存在であるということである。この伝承の背景は、一五世紀から一六世紀の時代に遡る。

そしてもう一つは、フダツミは今日見る二人ではなく、一人であったということである。この二つの伝承は、A・B二人のフダツミがあって、Aはヤマトから戻った娘、Bは異国から戻った娘と語ったものではない。一人のフダツミXを一つの伝承はAと見、他の一つはBと見て、二つの伝承が成立したのである。

なお加えて言えば、この二つの伝承からも明らかなように、アンガー踊りは自前の踊りではなく、他から伝えられたことがわかる。その原型は薩摩は大隅地方の盆踊りで、パイプはやはり大和在藩以外は考えられない(拙著『八重山・祭りの源流—シチとプール・キツガン』参照)。

現在のシチは、『由来記』時代のシチの変容であると見る本稿は、神も年神の系統で、一神であったと見ている。つまり、フダツミは本来一人であったが、いつの頃か、なんらかの都合で二人になったと見る。おそらく、踊りの形態上必要だったのであろう。しかし、伝承が二つに分かれた理由はある。先に述べたように、ヤマトに出た娘もあったし、次に述べるように、異国に渡った娘もいたのである。

一五世紀・一六世紀以降、この村は、琉球史・日本史にも登場するようになる。この水域に異国船がたびたび出没するようになった。南から北上してくる異国船、スペイン・ポルトガルの船は南蛮船と呼ばれた。これらの南蛮船が、水や食料を補給するために船浮湾に立ち寄った。南蛮船が入ると、初代用緒は交易を行っていたという。小舟に乗り込んで南蛮船に近寄り、時には乗り込んで物々交換で商いをしていた。

ところが、いい事ばかりではなかった。時には陸に上がってきた南蛮人が、少女をさらっていくという事件も起こった（『球陽』）。報告を受け、調査のため、薩摩・琉球の武装した百人余の役人が小さな村に乗り込んできた（『八重山島年来記』）。当時の村人の緊張し、動揺した光景が目に浮かぶ。

南蛮船は、途中港々に立ち寄り、キリスト教の布教をしながら北上してきた。しかしそれは、布教が目的ではなく、そのことによって住人を懐柔し、交易が永続的で、容易に進められることをねらったものであった。時代が下って幕府がキリスト教の布教を厳禁し、鎖国制度を実施すると、南蛮船は最上級の監視対象となり、祖納には「大和在番」と呼ばれる薩摩の役人が常駐することになった。在番制度は一六四一年から一六四八年までの八年間であったが、狭い空間の中で、互いに往き来して交流することもあったはずである。

明治時代に入ると、船浮湾内の内離《うちば（ば）なり》（島）に石炭の鉱脈が発見された。明治新政府の「殖産興業」・「富国強兵」・「文明開化」などの号令に呼応、あるいは触発されて、多種多様な事業、産業が生まれた。時流に乗って日本の最南端、さらに辺鄙な西表島の端には、競うように石炭産業が興った。そして最盛時には、いくつかのの集落、炭鉱村ができていた

三木健著『西表炭鉱概史』は、豊富な資料を駆使してまとめた高著である。その中に、「炭鉱と島社会」の見出しで、湾岸の村々と炭鉱との関係について述べて箇所がある。本稿の趣旨に照らして見たとき、興味深い記述がある。著者の趣旨からは大きく離れるが、抄出して述べることにする。

石炭は地上に露出しているのではない。地下に坑道を作りながら掘り進めていく。坑道には落盤を防ぐ

ために膨大な量の坑木を必要とする。幸いに、西表島は山が海岸まで迫っている。材木は豊富に産出した。その材木を、湾岸の村々の男たちが提供した。網取（戦後廃村）は岬を廻らないと「炭鉱村」には行けないが、祖納・船浮からは海岸から舟を出してすぐ行ける。

村の男たちは、ノコ一丁を腰にさして山に入り、木を切り出してはこれを炭鉱会社に売り、日銭を稼いでいた。〝日銭〟とはいっても、炭鉱会社が発行している炭鉱切符である。会社から代金がわりにこの切符をもらうと、男たちはその足で会社の直営売店に行って日常物資を購入して帰った（『西表炭鉱概史』　一九七九　三木　健）。

一方主婦たちは、畑でつくった野菜などを小さなサバニ（板張りの小舟）に積んで炭鉱村を廻って売り歩いた。

サバニが村の近くに着くと、夫婦で住み込んでいる炭鉱のカミさんたちが、ドッと浜におりてきてその日の野菜を買っていった。野菜を売りさばくと、主婦もまた直営売店によって日用雑貨を購入して帰った（同上）。

ところが、炭鉱会社と村人との相互依存関係は、互いの信頼の上に成り立った関係ではなかった。先の引用文のあとには、このようなことが語られている。地元の既存部落の人たちの中から、炭鉱切符に不満を持つ者が現れ、やがてそれは、炭鉱切符による支払いを拒否する動きへと発展していった。そして、「昭和の初めごろに、地元の各部落では、『今後本金でなければ、いっさい炭鉱の仕事はしない、野菜も売らない』と強硬に構え、ついに炭鉱会社側が折れて、現金で支払うようになった。」という。

ここからは、祖納村の視点で述べることにする。この争い（?）の主体には、「地元の各部落では」とあることから、祖納村も含まれているのであろう。ただ、「昭和の初めごろ」とはいつの時点を指すのだろう。この部分は、黒島寛松の「炭鉱切符」を参照したとあるが、詳細は分からない。

祖納村のシチは昭和のはじめ頃、部落に争いが起こり、道具いっさいを焼却して祭りを廃止した。そして、一二年後に再興されるのであるが、その時の「争い」は何であったのか。また、何百年も続く伝統の祭りを、あっさりと廃止させた力は何だったのか。その答えを求めて、本稿を書き進めてきた。炭鉱会社との争いは同じころである。両者に関係はなかったのか。たとえば、一方が他方を刺激した、あるいは誘発したと考えることはできるか、気になるところである。

さて、八重山諸島の他の村々がまだ地域的、閉鎖的社会状況を続ける中、この村の住人は海を越えて他の島にも渡り、また、ヤマトや異国の人とも交わってきた。一七世紀の中ごろには、大和在番の役人が八年間も駐留するという時代もあった。

そして明治以降では、内離に石炭鉱が発見され、大小いくつかの石炭会社ができた。石炭を積み出す船の出入りで、船浮湾は大いににぎわったことであろう。村人は、先述のように、これらの会社と深く関わっていった。さらに、近年この村は幾人か村・町会議員を出し、優れた教育者やスポーツマンを輩出して、八重山諸島の中ではよく知られた、特出した村であった。

このような歴史的背景があって、祖納人は未知を恐れない、開放的で進取、そして改革的な「祖納カタギ」ともいえる気質を身に付けてきたのではないか。この「祖納カタギ」が、何百年にも亘って続けられてきた伝統行事を潔く廃止させ、また十数年もたって、ためらうこともなく、装いも新たに復興させたのではないか、と見ている。

『由来記』に載るシチ自体は、今は存在しない。歴史の彼方に、ただ文字の上で残るだけである。その点では、幻の祭りである。シチがいつごろどのように形成され、いつ頃どのようにして消えていったか、はっきりしたことは分からない。しかし、あの祭りが稲作と深く関わって誕生し、仏教の伝来で消えていったことは分かっている。

しかし、祭りがどのような性格で、どのように行われていたかについては推測するほかない。そして、その手掛かりとなるのは、『由来記』に記す「七、八月中に己亥日、節の事」、「由来。年帰しとて家中掃除、家・蔵・辻迄改め、諸道具至迄洗拵、皆々年縄を引き、三日遊び申也。」の文言である。本稿はこの文言を手掛かりとして、ここまで祭りの本質と性格、仏教伝来後の影響について考えてきた。影響は大きかった。

第四部　稲作と祭り（二）　種子取（祭）

一　予祝歌「アマーオェーダー」（本島真和志村）

イネが伝えられて以来、イネの栽培は幾多の改良を重ねて、安定的につくられるようになった。「ヒコバエ育成型」の原始的稲作からより集約的な二期作型へ、そして「十月播種・六月収穫」の一年一期作型の農耕方式が営まれるようになった。

イネの栽培は、種籾を田圃に直播きするのではない。まず苗代に苗を育て、充分に成長した苗を移植して田圃に植える。これが田植えである。ところが苗を育てるには、苗代に種子を蒔かなければならない。

苗代に種子を蒔くまでの四、五日は、イネ作りの実際の始めで、最も気を遣う、細心の手順で仕事が進められる。まずよく選び、用意された種籾を一昼夜水に漬ける。次の日種籾を取り出して水切りをし、適当な入れ物に入れ、適当な方法で三日ほどかけて発芽を促す。

三日目の朝、ここからは潔斎して事に当たる。入れ物を上げ、開けて種籾を取り出す。籾は白く、小さな根を出している。それが種子で、その種子をそのまま持って行って、苗代に蒔く。稲の種子を確保し、苗代に蒔くまでの流れが「種子取」と表記され、本島地方ではタントゥイ、八重山地方ではタニドゥルと呼ばれる。先に示した稲作の方式図、「十月播種・六月収穫」の「十月播種」に当たる。

種子取の日は、丈夫な苗の生育、田植え後のイネの順調な成長を祈って厳かで、濃密な予祝祭がおこなわれる。この予祝祭でうたわれる儀礼歌が歌謡「アマーオエーダー」(本島真和志村)であり、「稲《いに》が種《たに》アヨー」(八重山)である。

「南島の稲作行事について」(伊波普猷　一九七三)のなかに、「アマーオエーダー」がある。伊波が採集した沖縄本島南部の真和志村識名の「種子取《たんとぃ》」で謡われる予祝儀礼歌である。次は伊藤幹治の引用で、用字・現代語訳とも伊藤による(伊藤　『稲作儀礼の研究—日琉同祖論の再検討—』　一九七四　而立書房)。

しるみきよが創め
あまみきよが祈りて
こしたう原下りて
泉口さとて
あぶし形やにて
おにぎりもしちよぢ
まぬぎりもみちややり
泉口かねおろち

シルミキヨが国を肇め
アマミキヨが天帝に祈りて
越桃源(耕地の名)に下りて
水口を辿って
田の畔を造って
荒掻きして
(さらに)細かく打ちて
水口から水を田に引いて

角高かねおろち
くんちやこはみぎ浮けて
真綿原ままたうたう
九月も為たんだう
夏水つけて
冬水んさとて
深山鴬ふけら時をとて
九年母花さらさらと
真綿原廻やり
人々も揃はち
原々にはぎわたち
百十日なたんだう

きるきるにさし植ゑて
二月もなたんだう
よらり草かきやよれ
三月もなたんだう
ぬるり南風もはやはやと

牛を田に引き入れて
イホを溶かし込んで
田面が真綿のようにきれいになった
九月にもなったぞ
稲籾を夏（季）の水につけて
漬けた籾を翌朝（立）冬（の）水から取り出して
深山鴬来鳴かむ時に
蜜柑の花の散るころ
真綿のように美しい田を巡視して
村の人たちを招集して
かれらをあらゆる耕地に配置して
（荒掻きをして）百十日目になったぞ

一定の間隔を保ってさし植えて
二月にもなったぞ
田の草を除け
三月にもなったぞ
肌ざわりのいい南風がそよそよと吹く

四月もなたんだう
本々に居ちゃん
五月もなたんだう
南の風の押せば
北の畔枕しち
北風の押せば
南のあぶし枕しち
六月にもなたんだう
人々そろはち
利鎌取揃はち
朝露に刈りなえら
足四つそろそろ
角高そろはち
すぢすぢに持上せて
あむされいよ算取れ

干乾も為ちゃんだう
六つ股に積込んで

四月にもなったぞ
植え付けた稲の株がよく根付いた
五月にもなったぞ
南の風が吹けば
垂穂が北の畔を枕にして
北風が吹けば
垂穂が南の畔を枕にして
六月にもなったぞ
村人を招集して
利鎌を取り揃えて
朝露の消えないうちに刈り取って
馬を集めて
牛を集めて
ここかしこの芝生の広場に運ばせて
主婦たちよいな稲束を勘定しろ

乾燥したぞ
六つ段倉に収めて

八つ股に積込んで　　八つ股倉に収めて
真積まで為ちゃんだう　　稲積までもした
（ちらし）
白金なかい　　白金の臼に
黄金軸立てて　　黄金の軸を立てて
きばて磨れよをなりのちゃ　　精出して磨れよオナリたち
しきよま戴らさや　　それで炊いた御初を祖神に奉らせ　なおらいを戴かせようね

アマーオエーダーは一年にもわたる稲作の全過程、田打ち・水の配分・播種・植え付けから収穫と喜びまでを、自然の移ろいにのせて綴った美しい詩的歌謡である。言葉がよく選択され、生きている。

二　稲が種アヨーとアマーオエーダー

このアマーオエーダーが八重山地方の村々で謡われる「稲《いに》が種《たに》アヨー」とよく似ている。いや、その中の一部が取り入れられている、と言った方が当たっている。比較をしながら中央との交渉、稲が種アヨーの成立について考えてみる。

アマーオエーダー

九月も為《な》たんだう
夏水つけて
冬水つけて
深山鶯ふけら（さえずる）時をとて

「夏水つけて、冬水つけて」を、伊波普猷は「稲もみを夏季の水に漬けて、漬けたもみを立冬の水になったとき取出して」と訳している。佐々木高明は伊波の訳に賛意を示しながらも、「立冬節を中心に稲もみを水浸しするため、『夏の水につけ、冬の水になって取り出す』ことになる」と解釈している。この訳では、何日か分からないが、水に漬けて置く期間が存在することになる。

その点伊藤の訳は分かりやすい。「稲籾を夏（季）の水につけて　漬けた籾を翌朝（立）冬（の）水から取り出して」として、種籾を水に漬けるのは一晩である。原歌の「夏水つけて　冬水んさとて」も同じであったであろう。表現上このようになった。稲作上、二、三日も種籾を水に漬けておくと使い物にならないからである。

このことについては、いくつかの文献で記述がある。時系列に、まず『由来記』の記述を挙げてみる。「王城之公事」の項に、「種子取」の見出しで「九月・十月中、立冬の節に当たり、……」として述べる。

九月十月中、立冬の節に当たり、稲の種子以って田に入る（種籾を節の前日に拵え、水に浸す也。因俗、夏水に漬け、冬水に取ると云う）地域においては、土地の早晩に従い、時節の遅速の有ることを考え、種子

を下ろす也。(原漢文)

内容はイネの栽培に関することである。『由来記』の編纂は一七一三年、当然ここに述べられていることはそれ以前から存在していた。「因俗(俗によれば)」の注がついているが、「民間では」の意であろう。『由来記』の編纂よりはるか以前、一期作型の稲作が普及していたことになる。村々の農耕儀礼、神女が歌う神歌や労働歌の中にも、この一期作型の稲作過程が固定した形で歌い込まれている。アマーオェーダーもその一つであることは言うまでもない。

それでは、八重山諸島の稲作状況はどうであったか。『慶来慶田城由来記』にそのことに関する記述がある。(『石垣市史叢書』一九九一 石垣市総務部市史編集室)

種子取りも八月の秋分から六一日目頃がよい。また、その頃は冬の季節に入る時分で、立冬前の夏水につけ、立冬後の冬水に蒔き入れる考えであるが、いつも六一日目に夏水につけ冬水に蒔くとは限らない。十月一日から十月二五、二六日の間、稲が早いものか、遅いものかをよくよく考え、壬寅の日に蒔き入れる考えでいる。

ほとんど『由来記』の記述やアマーオェーダーの内容と変わらない。『慶来慶田城由来記』は初代用緒から十代用州までの事績を書き記したもので、八重山研究の第一級史料といわれる。しかし、人物や時代背景などになると不明な点が多く、研究者を悩ませる史料である。先に抜き出した箇所に書かれた内容もいつ頃、どの人物の時代か分からない。しかし、当時稲作が、沖縄本島と変わらない方式で行われていたことが分かる。そして、その稲作の方式は、祭祀、儀礼においても影響を与えた。その影響を種子取の儀礼歌、「稲が種アヨー」に見てみる。

稲が種アヨー
　夏水に浸しなさり
　　冬水に下ろしなさり
　　　（登野城）

八重山地方の稲作の各村には、アマーオェーダーに匹敵する「稲が種アヨー」がある。やはり種子取祭に謡われ、一年を通したイネ作りのプロセスと手順が、そのつどの苦労・願い・喜びがうたいこまれた美しい叙事詩的古謡である。

種籾を水に一昼夜つけるのは、丈夫な苗を育てる前提として、必要不可欠の処理である。しかし、このことが謡いこまれているのは、私が調べた限りではこの一例だけである。同じ事象を見ても、見る人によって感情も表現も異なるはずである。しかし、これだけ似てくると、やはりアマーオェーダーの影響と認めざるを得ない。

この事例については、喜舎場永珣の興味深い解説がある。ただし、その中でいう「諭されている」の主体が分からないが、喜舎場の解説は、『慶来慶田城由来記』の記述よりもより『由来記』の記述に近いように思われる。

八重山の種子取行事は陰暦八月、彼岸祭の入り日から数えて六十一日目の前後、すなわち立冬の節入りの時期が最もよい季節とされ、「夏水ニチィキィテ冬水ニ下ルシ」と諭されている。この言葉は全琉一般同様である。立冬前の夏季に種籾を水に浸し、立冬の節に水を切って苗代に播種す、の意である。本土に早稲・晩稲があるように八重山にも前田《まいだ》（早稲）・内田《うちぃだ》（晩稲）があり、苗代の播種も遅速があり、二つの諭しがあったわけである（喜舎場『八重山古謡』上巻　一九七〇　沖縄タイムス社）。

さて、次の事例では、アマーオエーダーとの関係がさらに明らかとなる。小浜島の結願祭は、奉納演目が多種多様で華やか、毎年島を出て他郷で暮らす人々だけでなく、多くの観光客を呼び寄せる。ハツバンシュンギン（初番狂言）は神の使いと称するチョータンヌフーシュー（長者の大主）が、村の代表者に五穀の種子を渡し、播種の仕方や苗の育て方を教える舞台劇である。その中で、神の使いと称するものが次のように唱える。

ムヌダニ（物、穀物の種子）である。
粟種子である　米種子　芋種子を譲る
皆さん
夏水に漬けて　冬水におろし

皆さん　言葉を忘れることでもあれば
深山鶯がさえずる時こそ
春の時節である　皆さん

（「結願祭」『小浜島の芸能』二〇〇六　竹富町教育委員会）

稲種の発芽を促す稲作に特有の処理の仕方が、ここでは粟・米・芋が混雑して脈絡もなく、「夏水…、冬水…」に掛かっている。そして、おまけに「深山鶯がさえずる時こそ」まで付け、アマーオエーダーからの借用であることを明かしている。
アマーオエーダーの転用と思われる表現はまだある。

アマーオエーダー
南《はえ》の風の押せば
北《にし》の畔《あぶし》枕しち
北風《にし》の押せば
南《はえ》の畔《あぶし》枕しち

（真和志村識名）

この前後には「五月もなたんだう」「六月もなたんだう」の句が入る。イネがよく育ち、刈り取る前の稲田の風景である。柔らかい初夏の風が、南から吹くと実った稲穂が北になびき、北から吹くと南になびく。農民が、来年のイネもこのように実ってほしいと願う、美しい風景である。予祝歌の根底には、言霊信仰がある。

稲が種アヨー
若夏の　盆南風が押したなら
北の畔を枕にして稔ってください
（平得村）

南風が　盆南風が押し吹いたら
北の畔を枕にしなさり
（大浜村）

アマーオエーダーも稲が種アヨーも、播種儀礼の予祝歌である。ここで歌われている光景は「若夏の」というように五月から六月、刈り取る前のよく実った稲田の風景である。だがこの両者からは、別に大きな情報を読み取ることができる。示唆は「盆南風」である。ここでいう「盆」が宗教的行事（旧暦七月）ならば、イネの収穫後一月ならずして盆が来る。

しかし、そもそもなぜ盆なのか。「稔って下さい」、「…しなさり」などの祈りの表現から来訪神、祖霊の来訪を期待する心情が、盆のころに南から吹くさわやかな風に重なったのではないか。ここでは北から吹く風は不要、神が両方から現れてはまずいのである。ゆえに、この二つの村では、「北から風…」の句は省かれた。このように考えれば、アマーオエーダーをそっくりそのままの転用したのではなく、地元の習俗を加味したともいえるのである。

稲が種アヨー
　南風が吹き押せば
　北の畔を枕にして
　山風が押せば
　南畔を枕にして
（宮良村）

宮良村の事例は集落や田畑の位置関係によるのであろう。背後には山があって、そこから吹いてくる風が「山風」として素直に詠みこまれた。

種子取《たにとう》りアユ
　北風に　なったらば
　南の畔を枕にして

南風に　なったらば
北の畔を枕にして
（黒島）

粟種子取《あーたなとうりぃ》アヨー
南風が　押し寄せると
北の畔を枕にして
北風が　押し寄せると
南の畔を枕にして
（新城島）

異色は黒島と新城の事例である。黒島も新城もイネを作らない。イネの栽培とアワの栽培は前者が水田、後者が陸田で、手順が全く異なる。稲が種アヨーはイネ作りの全過程を、順を追いながら詠みこんでいる。言葉が伝える光景は、たとえイネ作りの経験がなくても、稲田の風景を想像して、感じ取ることができるだろうと思うのである。その同じ言葉が、黒島の種子取《たにとう》りアユー、新城の粟種子アヨーにはそのままはめ込まれている。アマーオエーダーが、ある新鮮さで、広く受け入れられていたことがわかる。

北風がよー　柔吹きがよー

押し吹いたらよー
南の畔を　枕にしよー

南風がよー　みどり風が
押し吹いたらよー
北の畔を　枕にしよー
（鳩間）

よく実った稲田で、稲穂が風で揺れ動く様を見て感動した経験は多くの人が持っている。しかし、それを言葉で表すと人それぞれ異なるであろう。アマーオェーダーの作者は繊細で、表現豊かな感性の持ち主であったと推測させる。

「アヨー」について外間守善は、アヨーは呪詞カンフチ（神口）、ニガイフチ（願い口）をつらぬく呪的神性や呪的機能を受けついだいわゆる神歌であるとして、ニガイフチは人から神への「願い」の呪詞であり、カンフチは神から人へ告げる神託であるとしている。そしてその呼び方も西表島・石垣島・小浜島は「アヨー」、竹富島・鳩間島は「アユー」、黒島・波照間島・与那国島は「アユ」と、地域によって違うと述べている（外間守善・宮良安彦篇『南島歌謡大成　Ⅳ』解説　一九七九　角川書店）

アマーオェーダーは、その一部が「稲が種アヨー」に取り入れられ、大きな影響を与えた。しかし、八重山の風土から生まれた、独自の表現もある。

イニガタニヨー　イネの種をよー
キョウデルコノヒニヨー　今日出るこの日によー
ンドゥバイフミ　発芽して
パチョリカイサ　芽が出てその美しさよ

まさに、種子取の日の、籾種を取り出した時の安心と感動の表現である。

シムカイヤヨ　下にはよー
シルニ　イディヨーリ　白根が出て
ウイカイヤヨー　上にはよー
バカパイ　イディヨーリ　若芽が生え

そして、ナースダに種子を蒔いた後の、期待と祈りを込めた表現である。あのドロドロした土の中の、対照的な鮮やか白い根と、地上の若葉は、イネ作り人ならではの感性であろう。

インヌキニヨー　犬の毛のようによー

マヤヌキニ　　　　　　猫の毛のように
マドゥネナヨー　　　　隙間なくよー
クイリヤク　　　　　　生え揃って

イネは強い風にも倒れないように、根がしっかり付いていなければならない。根が張ってこそ、絶え間なく水と養分を吸い上げることができる。それを「犬の毛、猫の毛」のようにと表現する。見慣れた光景であっても、このような発想はなかなか浮かばないであろう。連想する感覚が鋭く、言葉が生きている。以上挙げた語句は、八重山地方のほとんどの村の「稲が種アヨー」に現れる。

三　事例「種子取（祭）」―鳩間島

ここからは、鳩間島の事例を基にして述べていく。鳩間島は八重山諸島のうち、人の住む一番小さな島である。島の周囲わずか三・七キロメートル、島の中央南寄りに小高い森（中森）があるものの、ほとんど平たい島である。石垣島の西方二七キロメートル、西表島の北六キロメートルの海上に浮かぶ小島である。八重山出身の音楽家、宮良長包は「海の真中にただ一つ、鳰の浮巣か鳩間島」と詠んだ。

この島は、飲み水にもこと欠く、水の乏しい島である。島では稲作は不可能である。イネは海を越えて、向かいの西表島に渡って作る。住んでいる島は小さいが、西表島の北岸は、東はユチン・高那あたりから西は浦内あたりまで、ほとんど一帯を独占している。そのようになったのも、首里王府の政策による。まだ手付かずの状態だったあの地域を開拓させるため、八重山蔵元は、黒島から鳩間島に六〇人（一七〇〇年）、続けて一五〇人（一七〇三年）の百姓寄せを行った（『八重山島年来記』）。その結果、当時の鳩間島の人口は三百人を超えていたはずである。

海を渡って稲作をするため、各家に舟（サバニ）を持っていた。朝出かけて夕方帰る、このように海を渡って往復する稲作が当たり前のように行われていた。しかし、仕事が数日に亘る場合は泊まり込みをしなければならない。そのような場合のために、これも各家とも煮炊き、寝泊りができる小屋を用意していた。

アマーオエーダーの時代には、沖縄本島・八重山諸島とも、一年一期作の「十月播種・六月収穫」の稲作形態が定着しており、稲作のプロセスは変わらない。アマーオエーダーの次の節（現代語訳—伊藤）は、夏ごろから始めた田打ちが苗代づくりまで進み、「田面が真綿のようにきれいに」整地された、と謡う。

……田の畔を造って／荒掻きして／（さらに）細かく打ちて／水口から水を田に引いて／牛を田に引き入れて／イホを溶かし込んで／田面が真綿のようにきれいになった……

苗代は、八重山地方では「ナース」と呼ぶ。ナースは各家とも適した土地を持っていたが、他人のナースを借りることもあったという。木の葉や草を入れて何度が耕し、酸素を十分に取り込んで整地をしてある。苗代づくりの後、イネ作りは細やかで、気をもむ作業に向かう

イネの種まきは、種籾を直に田に蒔くわけにはいかなかった。「田植え」は、田圃にイネの苗を植える作業を表す。その前に、丈夫な苗を育てなければならない。丈夫な苗を育てるには、良質の種籾を確保

する必要がある。それを見据えて、夏の稲刈りの後、丈夫そうな稲穂を選んで束にし、サン（ワラシベを輪を遺して結び、聖なるものとして邪悪を防ぐ装置とする）を差してシラに収める。シラは刈り取った稲を乾燥し、稲束を重ねて円錐形に積み上げた構築物（稲叢）で、家によって大きさに大小、数に多少があり、豊作・豊かさの象徴とされた。

「種子取《たにどぅる》」祭はイネ種をナースに蒔く日の行事で、立冬のころ、日を選んで（壬・癸）行われる。行事の日が決まると、仕事は厳かに執り行われる。まず三日、あるいは四日前にシラから稲穂を取り出し、ていねいに扱《こ》いて籾をイネ種とする。この作業からはタニドゥルソージ（種子取り精進）に入り、身を清めて仕事に当たった。婦女子は不浄として、一連の仕事に関わってはならないとされた。

その籾をタング（ワラやカヤで菰を作り、筒状の入れ物に仕立てる）に入れ、一昼夜水に漬ける。この過程が、アマーオエーダーでは「夏水つけて、冬水んさとて」と謡われている。稲作の形態が定着して後は、そのプロセスの手順は確率しており、その変更は収穫に影響を及ぼした。種籾を水に漬けるのは一昼夜（一日）で、この手順は沖縄本島においても、八重山地方においても変わらなかった。アマーオエーダーの表現も趣旨は、伊藤幹治が指摘する通り、一昼夜の意であろう。

次のプロセスは、種子取手順のなかで最も気を遣う。一昼夜水に漬けた種籾はタングごと水を切り、地面に適当な穴を掘り、その中に入れる（地熱に頼る）。何も被せない。そのままの状態で三日三晩置く。石垣市シカムラ（四箇村）の農家では、かまどの上において煙の運ぶ熱で発芽させるという。

鳩間島で最後の「米作り人」と言われた友利三益さんに話を聞いた。昔は、やはり地面に穴を掘り、バショ

図５　かまどの上で発芽を促す（石垣稔　前掲書）

ウの葉やクワズイモの葉（どちらも葉が広い）を敷いてそこに種籾をそのままこぼすように入れ、先ほどの葉で覆うって土を被せた。ところが、蒸れて、全く使い物にならなかったという。試行錯誤を繰り返して現在の方法に辿り着いたと話していた。

そして、いよいよその日となる。朝早く、種籾を入れたタングを取り上げ、開けて種子の発芽具合を確かめる。何年やっていても、不安と期待の交錯した瞬間であった。「稲が《いにが》種《たに》アヨー」の「稲が種」は、この発芽した種籾を指している。稲種子はそのままナース（苗代）に持って行って蒔く。蒔きおわると、板で軽くたたいた。根つきがよくなるとされた。

各村の「アヨー」の歌詞を見ていくと、この発芽した種籾、つまり稲種子を確保する行為が「種子取《たにどぅる》」と呼ばれていることが分かる。アヨーは導入部のあと、ナースの種蒔きが主となり、その後のイネ作りが期待と願いを込めて謡われていく。

その日の、一連の仕事を終えると田小屋に戻り、ナースニガイ（祈願）をする。田小屋には火の神を祀ってある。かまどの背後に握り拳ほどの小石を三個ならべ、神の依代とする。それらの石は前日までに海岸に持って行き、海水できれいに洗っておく。西表島は面積の八割が山である。山裾と海浜の間に細長く、わずかに開けた地帯に水田がある。海は近い。

火の神の前に供物を並べ、稲種子が完全に芽を出し、丈夫な苗に成長するよう祈願した。供物はイバチとミサクである。イバチは先述のシラ（稲叢）の形をした握り飯でサクマイ（粳米）ともち米を二対一の割合で混ぜて炊く。ミサクは水に漬けておいた米をすりつぶし、発酵させた白色の濁り酒である。角盆の中央に大きめのイバチ一個を置き、向こう側に小ぶりのイバチ二個を並べる。ミサクは湯呑み二個に注ぎ、手前に置く。祈願が済むと、ミサクは火の神の石に注いでかけた。

写真９　ナースに種子をまく
（提供　友利英雄氏）

祈りの言葉

上には若芽を、下には白い根を下ろし給わり犬の毛、猫の毛のように隙間なくぎっしりと、苗をマラシ（生ませ）ください。取りごろ、植えごろになったら、大桝田、長桝田に植えましょう（原文は方言）。

西表島北岸は一帯が連続しているわけではなく、山が海岸まで迫って東部・中部・西部に三分されていた。その中でいくつかの隣同士が「田圃団地」を作っていた。ナースニガイが終ると一人を残し（申し合わせによる）、他の者は島に帰った。残された者は一週間ほど留まり、みんなのナースの水管理を受け持った。

島に戻るとナースヨイ（祝い）が執り行われた。ナースヨイは三日に亘って行われたが、行事の持ち方は異なった。先の二日は家々の行事として行われたが、後の日は村の行事として行われた。

島に戻った人々は団地ごとに時間を決めて集まった。たいていは本家か長老の家、あるいはナース所有の家などが当てられた。そこでアヨーを謡い、苗の生育を願った。種子取り（祭）の期間中はソージ（精進）に入り、鳴り物はいっさい用いない。三味線や太鼓などは慎み、アヨーは手拍子でうたった。一区切りすると、次の家に移動した（「ミチウタ」がある）。この行事は、次の日も行われた。

そして、最後の日は、村の行事として行われた。これは、ナースヨイ締めの行事であった。この村には、五つの御嶽があった。その中で、トゥムリウタキ（友利御嶽）はこの村の創建者を祀るといわれ、最も格式が高く、村の行事はその御嶽を中心に行われた。

その日も、初めは嶽々のツカサ、ティジリビ（補佐役の男性神職）、村の幹部たちがトゥムリウタキのツカサの家に集い、村人の無病息災、イネ作りが順調に進むことと豊作を祈願した。それからやはりアヨーを謡い、「ミルク節」・「鳩間中森」を謡った。ひとしきりの祭りが済むと、ミチウタを謡いながら、次のツカサの家へ向かった。

アサダニヌ（朝種の）アヨー

一　キューヌピバヨー
クガニピバ　ムトゥバシヨー
イラヨマイ
バガケラヨ

二　ナシルダバヨー
シムリンタバ　クシナイヨー
イラヨマイ
バガケラヨ

三　イニガタニヨー
キョウデルコノヒニヨー
ンドゥバイフミ
パチョリカイサ

四　シムカイヤヨー

今日の日をよー
黄金の日を基にしてよー
（囃子　意味不詳）
（囃子　わたしたち皆々よ）

苗代田をよー
種下り田を拵えてよー
（囃子）
（囃子　たしたち皆々よ）

イネの種をよー
今日出るこの日によー
発芽して
芽が出てその美しさよ

下にはよー

シルニ　イディヨーリ
ウイカイヤヨー
バカパイ　イディヨーリ
バガマイヨー

五
インヌキニヨー
マヤヌキニ
マドゥネナヨー
クイリヤク
バガマイヨー

六
イビブリヤヌヨー
トゥリブリヤヌ
ナリヨラバヨー
イラヨイマイ
トゥリアイショウラ

白根が出て
上にはよー
若芽が生え
（囃子　わたしの米よ）

犬の毛のようによー
猫の毛のように
隙間なくよー
生え揃って
（囃子　私の米よ）

植えごろによー
取りごろに
なったらよー
（囃子）
取り合いましょう

ナカヌピヌ（中の日の）アユウ

七
イビブリヤヌヨー
サシブリヤヌヨー
ナリヨラバヨー
バガケラ

植えごろによー
差しごろによー
なったらよー
わたしたち皆々

八
ウブマシニヨー
ヌチヌタニヨー
ムティナイシ
ピキナイショリ
イビオラ

大枡田によー
貫き田によー
持ち苗し
引き苗して
植えましょう

九
シムカイヤヨー
シルニイディヨリ
ウイカイヤ
バカパイイディヨリ
ムチャイイディヨリ

下にはよー
白根が生え
上には
若芽が生え
絡んで生え

一〇　ウリズンニヨー
バカナチヌ
ナリヨラバヨー
イラヨイマイ
ケラヨイマイ

一一　ユシキダキニ
イバイムトゥニ
ムトゥイクヨー
サカイクヨー
ケラマイヨー

一二　ケラマイヌヨー
ナガプピクトゥキントゥヨー
ミヤラビ
マンニヌルトゥキントゥトゥヨー
マタキティドゥクナミヨルヨー

初夏によ
若夏に
なったらよー
いらよいまい（囃子）
けらよいまい（囃子）

ススキのように
チカラグサ（オイシバ）のように
茂り増えるよー
栄えていくよー
私たちの米よー

私たちの米よー
長穂引く時とよー
娘たち
マンニヌル（不詳）時とよー
（不詳）

一三　ニシカジヌヨ
クマプキヌヨー
ウシュラバヨー
パイアブシバ
マクラショー

一四　パイカジヌヨー
ウナバイヌ
ウシュラバヨー
ニシアブシバ
マクラショー

一五　アギブリヤヌ
トゥリブリヤヌ
ナリヨラバ
イラヨイマイ
イシナグヨー

北風がよー
柔吹きがよー
押し吹いたらよー
南の畔を
枕にしよー

南風がよー
みどり風
押し吹いたらよー
北の畔を
枕にしよー

収穫のことに
取り入れのころに
なったら
いらよいまい
小石のように（硬い実の）

一六　シクインドゥリヨー
ビマイドゥリショラバ
イラヨイマイ
ダキアイショラ
カリアイショラ

作った米をとりよー
美米取りしましたら
いらよいまい
抱き合いましょう
刈りあいましょう

アトゥヌピヌ（後の日の）アヨウ

一七　ンジティクイヨー
パリティクイヨ
イビリンドゥリ
イラヨイマイ
イビリンドゥリ

出ておいでよー
走っておいでよー
植えた米を取り
イラヨイマイ
イビリンドゥリ

一八　ウキティィオリヨー
パリティィオリヨー
シクリンドゥリ

起きておいでよー
走っておいでよ
作った米を取り

イラヨイマイ　イラヨイマイ
シクリンドゥリ　作った米を取り

一九　ヌシヌイルヨー　主の色よー
カンヌイルヨー　神の色よー
ムティオリヨー　持ってきてくだされよー
イラヨイマイ　イラヨイマイ
イビリンドゥリ　作った米を取り

二〇　エンヌナチヨー　来年の夏よー
ルクンガチヨー　六月よー
ンカイヨラ　迎えましょう
イラヨイマイ　イラヨイマイ
シクリンドゥリ　作った米を取り

ミチ（道）ウタ

二一　ヤーキュウヌピバ　やー今日の日を

ムトゥバショー
ヨーユイサ
クガニビバ
ムトゥバショー
ヨイショウラ

二二　ヤーナウリユバ
カタシドゥケルヨー
ヨーユイサ
ミヌリユバ
ヨイショウラ

二三　ヤ―カンヌユバ
シカシドゥオレル
ヨーユイサ
ミルクユバ
カタミドゥオレル

基にしてよー
ヨーユイサ
黄金の日を
基にしてよー
祝いましょう

やー実り世を
担いでこられたよー
ヨーユイサ
実り世を
祝いましょう

や―神の世を
共して来られた
ヨーユイサ
弥勒世を
担いでこられた

二四　ヤーエンヌユヤ　　　　　　やー来年の世は
ナヒンダラ　　　　　　　　　もっとだよ
ヨーユイサ　　　　　　　　　ヨーユイサ
ンカイユヤ　　　　　　　　　迎える世は
ユクンダラ　　　　　　　　　さらにだよ

二五　ヤータニドゥルミッカヌ　　やー種取り三日の
バガサニサヨ　　　　　　　　私の嬉しさよ
ヨーユイサ　　　　　　　　　ヨーユイサ
カイダニバウルショウリ　　　美しい種を下ろしました
ヨイショウラ　　　　　　　　祝いましょう

アヨーが三部から成っていることが、稲作に対応して重要な意味を持っていることが分かる。イネ作りはかなり長期の期間と、慎重な農作業が求められた。その期間を三期に区分すると、前期は稲種子をナースに蒔いて苗を育て、中期は苗を田に移してイネの生育を管理し、稔るのを待つ。そして後期は、黄金色に実ったイネを収穫し、喜びを神に感謝する期間に分けることができる。「アサダニヌアヨウ」・「ナカヌピヌアヨウ」・「アトゥヌピヌアヨウ」は、それぞれの期間に対応して象徴的に謡っていることが分かる。

しかし、三日間のナースヨイがどのように行われていたか、記録もなく、はっきり分からない。ここに記したのは大正生まれの古老に尋ねたものであるが、その人もよく覚えていないようであった。行事の形態だけでなく。謡われたアヨウの形や語もまた不明な点が多い。ここに挙げた訳は前後関係からの推測や、現在たどりうる古語からの類推が含まれていることを断っておきたい。

おわりに

若いころ、イギリスの世界的歴史家、アーノルド・ジョセフ・トインビーのエッセイ、「我が歴史観」を読んだ（原英文）。冒頭、「わたしの歴史観はそれ自身一つの小さな歴史である」に始まり、「それも他人のつくってくれた歴史で、私自身のつくった歴史ではない。学者の一生の仕事は、自分のバケツ一杯の水を、同類のバケツ一杯の水を無数に集めて、ますます大きくなる知識の川に、注ぎ加えることである……」、と続く。

バケツ一杯の自分の研究の水を、（先学の）無数のバケツ一杯の研究の水を集めて、とうとうと流れる知識の川に注ぎ加える、という発想と表現に納得し、感動したことをおぼえている。これまでたくさんの研究書や論文を読み、様々な領域の学問がそのようにして発展してきたことは、感覚的には理解していた。

ささやかながら、研究書なるものを世に出すとき、自分の研究はどのような意味があるのだろうと考えてみた。拙著「八重山・祭りの源流―シチとプール・キツガン」について、波照間永吉氏（沖縄県立芸術大学名誉教授）は、「大胆で刺激的な仮説」と評してくださった（「八重山毎日新聞」）。褒めてくださったと理解している。

八重山の祭りについては研究者も多く、報告書も多い。私は東北大学大学院で、宗教民俗学の基礎的な指導を受けた。その視点で八重山の祭りを見たとき、これまでの研究とは違った祭りの姿が見えてきた。その点を深く考察したとき、結果として「大胆で刺激的な仮説」となった。今私は、自分の研究はトインビーの「バケツ一杯の水」の力は持ちえないが、八重山の祭りの研究に絞ってみれば、湯呑一杯の水で補うことはできるのではないかと思っている。

八重山地方では、一部の地域ではあるが、シチという祭りが伝統行事として行われている。この祭りは十・十一月中、「己亥の日」(あるいは近い日)を選んで行われる。そして初日を「トゥシヌユ(年の夜)といい、神が訪れる。家々では前々から準備をし、神を迎えて温かくもてなす。

さて、それではなぜ「十・十一月中」か、なぜ「己亥の日」か、なぜ「トゥシヌユ(年の夜)」か、なぜ「神が訪れる」のか、これらの疑問について現在の研究は答えてくれない。この疑問に答えるには、『由来記』の中の一項、「七・八月中に己亥の日、節の事。由来、年帰しとて家中掃除、家・蔵・辻迄改め、諸道具に至る迄洗い拵え、皆々年縄を引き、三日遊び申す也」を引かなければならない。『由来記』の時代のシチ(節)は、仏教の伝来で二、三か月ずらして行われるようになった。

現在のシチの「十・十一月中」はそのことに由来する。しかし、行われる日は「己亥の日」を引き継いでいる。「年帰し」と述べるように、シチは元「正月」であった。現在のシチは、本質は失ったが性格は引き継ぎ、初日の夜を「トゥシヌユ(年の夜)」と呼ぶ。新暦で正月を行うようになった現在でも、大晦日の夜は「トゥシヌユ」と呼ばれる。

そして、現在のシチの最大の特徴、なぜ神が出現するかの問題。本稿では『由来記』の「皆々年縄を引き」について、神を迎える準備で、年神と呼ばれる神が来訪したと想定した。そしてその神は来方神で、祖霊であると考察した。現在のシチの来方神は、古の人々が「年縄」を引いて迎えた神の再現であることは間違いない。確かに神は存在したのである。

本稿をまとめながら、思い出した言葉がある。「温故知新」（論語、為政）である。「故《ふる》きを温《たず》ねて新しきを知る」と読むが、先ほどの検証でも明らかなように、如実に「温故知新」そのままであった。私の仕事が、いささかなりとも研究といえるものであるならば、それは歴史、文化史の研究であると思っている。

著者略歴

大城　公男（おおしろ　きみお）

1937年　八重山鳩間島に生る。

1961年　琉球大学卒業後教育界に進む。八重山農林、首里高校で校長

1996年　沖縄県立高等学校長協会会長。

2003年　東北大学大学院文学研究科前期人間科学（宗教民俗学）専攻博士課程修了。

2013年　瑞宝小綬章受章。

著書

『八重山鳩間島民俗誌』（2011、榕樹書林）

『八重山・祭りの源流—シチとプール・キツガン』（2018、榕樹書林）

稲の旅と祭り——シチと種子取祭

ISBN978-4-89805-231-0　C0339

2021年9月10日印刷
2021年9月15日発行

著　者　大　城　公　男
発行者　武　石　和　実
発行所　榕　樹　書　林

〒901-2211　沖縄県宜野湾市宜野湾3-2-2
TEL.098-893-4076　FAX.098-893-6708
E-mail：gajumaru@chive.ocn.ne.jp
郵便振替00170-362904

印刷・製本　（有）でいご印刷

がじゅまるブックス18